Susanne Kalender
unter Mitarbeit von
Angela Pude

MENSCHEN

Deutsch als Fremdsprache
Lehrerhandbuch

Hueber Verlag

Autorin der Tests zu den Modulen:
Andrea Haubfleisch, Frankfurt am Main
Autorin der Moodle-Tipps:
Nuray Köse, Izmir

4. 3. 2. | Die letzten Ziffern
2019 18 17 16 15 | bezeichnen Zahl und Jahr des Druckes.
Alle Drucke dieser Auflage können, da unverändert,
nebeneinander benutzt werden.
1. Auflage

Umschlaggestaltung: Sieveking · Agentur für Kommunikation, München
Zeichnungen: Michael Mantel, www.michaelmantel.de
Layout und Satz: Sieveking · Agentur für Kommunikation, München
Verlagsredaktion: Daniela Niebisch, Penzberg
Druck und Bindung: Kessler Druck + Medien GmbH & Co. KG, Bobingen
Printed in Germany
ISBN 978-3-19-671902-4

Art. 530_01300_001_02

INHALT

1 Konzeption des Lehrwerks

1.1 Rahmenbedingungen

Menschen ist ein handlungsorientiertes Lehrwerk für Anfänger. Es führt Lernende ohne Vorkenntnisse in drei bzw. sechs Bänden zu den Sprachniveaus A1, A2 und B1 des Gemeinsamen Europäischen Referenzrahmens und bereitet auf die gängigen Prüfungen der jeweiligen Sprachniveaus vor:

	dreibändige Ausgabe	***sechsbändige Ausgabe***
Niveau A1	Menschen A1	Menschen A1.1 + A1.2
Niveau A2	Menschen A2	Menschen A2.1 + A2.2
Niveau B1	Menschen B1	Menschen B1.1 + B1.2

Menschen geht bei seiner Themenauswahl von den Vorgaben des Gemeinsamen Europäischen Referenzrahmens aus und greift zusätzlich Inhalte aus dem aktuellen Leben in Deutschland, Österreich und der Schweiz auf.

Die Prüfungsinhalte und -formate der gängigen Prüfungen finden in *Menschen* sowohl im Kursbuch als auch im Arbeitsbuch Berücksichtigung.

1.2 Bestandteile des Lehrwerks

Menschen bietet ein umfangreiches Angebot an Materialien und Medien, die aufeinander abgestimmt und eng miteinander verzahnt sind:

- ein Kursbuch mit integrierter DVD-ROM (mit interaktiven Übungen zum selbstständigen Weiterlernen)
- ein Arbeitsbuch mit integrierter Audio-CD
- ein Medienpaket mit den Audio-CDs zum Kursbuch und einer DVD mit Filmen für den Einsatz im Unterricht
- ein Lehrerhandbuch
- Materialien für Beamer und interaktive Whiteboards
- einen Moodle-Kursraum
- Glossare zu verschiedenen Ausgangssprachen
- Materialien zur Prüfungsvorbereitung
- einen Internetservice mit zahlreichen ergänzenden Materialien für Lehrende und Lernende

Ein übersichtliches Verweissystem verzahnt die Materialien miteinander und sorgt so für eine hohe Transparenz bei Kursleitenden und Teilnehmenden. Die Materialien sind flexibel einsetzbar und ermöglichen ein effizientes, auf die Bedürfnisse der einzelnen Teilnehmer zugeschnittenes Lernen bei gleichzeitig geringem Aufwand für die Kursleitenden.

1.3 Aufbau

1.3.1 Das Kursbuch

Aufbau der drei- und der sechsbändigen Ausgabe
Dreibändige Ausgabe: Jeder Band beinhaltet 24 kurze Lektionen, die in acht Modulen mit je drei Lektionen zusammengefasst sind.
Sechsbändige Ausgabe: Jeder Teilband beinhaltet 12 kurze Lektionen, die in vier Modulen mit je drei Lektionen zusammengefasst sind.

Aufbau eines Moduls
Jedes Modul besteht aus drei Lektionen. Vier zusätzliche Seiten (*Lesemagazin*, *Film-Stationen*, *Projekt Landeskunde* und *Ausklang*) runden jedes Modul ab und wiederholen den Stoff der vorangegangenen Lektionen.

Aufbau einer Lektion
Die Kursbuchlektionen umfassen je vier Seiten und folgen einem transparenten, wiederkehrenden Aufbau:

Einstiegsseite

Der Einstieg in jede Lektion erfolgt durch ein interessantes Foto, das meist mit einem Hörtext kombiniert wird und in die Thematik der Lektion einführt. Dazu gibt es erste Aufgaben, die immer auch an die Lebenswelt der TN anknüpfen. Die Einstiegssituation wird auf der folgenden Doppelseite wieder aufgegriffen und vertieft. Auf der Einstiegsseite befindet sich außerdem ein Kasten mit den Lernzielen der Lektion. Ideen für die Einsatzmöglichkeiten der Einstiegsseite im Unterricht finden Sie im Kapitel „Praktische Tipps" (Seite 8).

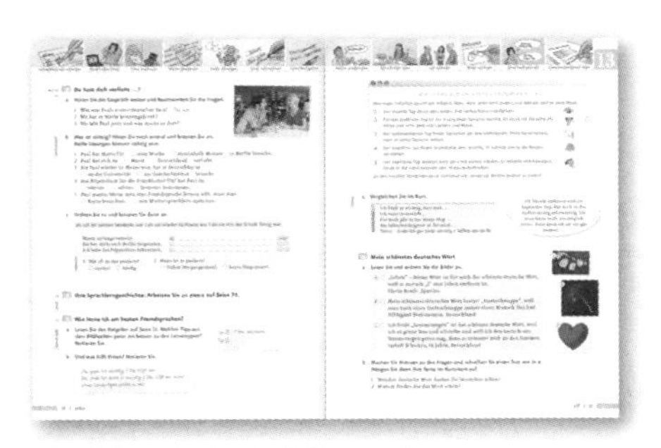
Doppelseite mit Einführung der neuen Strukturen und Redemittel

Ausgehend von der Einstiegssituation werden auf der Doppelseite die neuen Wortfelder, die Strukturen und die Redemittel der Lektion mithilfe von Hör- und Lesetexten eingeführt und geübt. Das neue Wortfeld der Lektion wird in der Kopfzeile prominent und gut memorierbar als „Bildlexikon" präsentiert. Übersichtliche Grammatik-, Redemittel- und Infokästen machen den neuen Stoff bewusst. In den folgenden Aufgaben werden die Strukturen und Redemittel zunächst meist in gelenkter, dann in freierer Form geübt. In die Doppelseite sind zudem Übungen eingebettet, die sich im Anhang auf den „Aktionsseiten" befinden. Diese Aufgaben ermöglichen echte Kommunikation im Kursraum und bieten authentische Sprech- und Schreibanlässe. Vorschläge für die Einsatzmöglichkeiten der Aktionsseiten im Unterricht finden Sie im Kapitel „Praktische Tipps" (Seite 8).

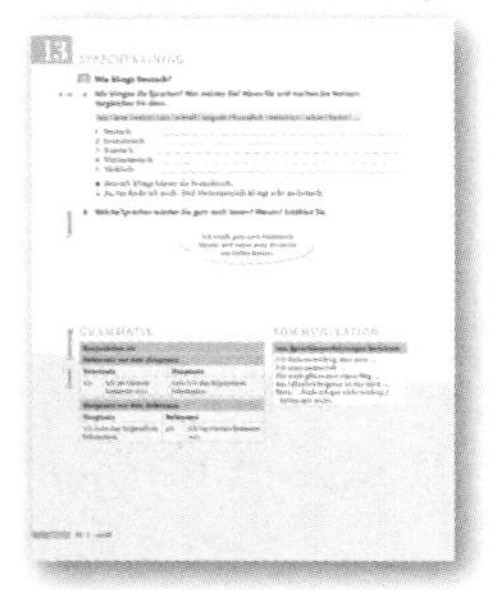

Abschlussseite

Auf der vierten Seite jeder Lektion ist eine Aufgabe zum Sprechtraining, Schreibtraining oder zu einem Mini-Projekt oder Spiel zu finden, die den Stoff der Lektion nochmals aufgreift. Als Schlusspunkt jeder Lektion werden hier die neuen Strukturen und Redemittel systematisch zusammengefasst und transparent dargestellt. Ideen für die Einsatzmöglichkeiten der Grammatik- und Redemittelübersichten im Unterricht finden Sie im Kapitel „Praktische Tipps" (Seite 8).

Aufbau der Modul-Plus-Seiten

Vier zusätzliche Seiten runden jedes Modul ab und bieten weitere interessante Informationen und Impulse, die den Stoff des Moduls unter Einsatz unterschiedlicher Medien und über verschiedene Lernkanäle verarbeiten und wiederholen lassen:

LESEMAGAZIN

Eine Woche ohne Internet

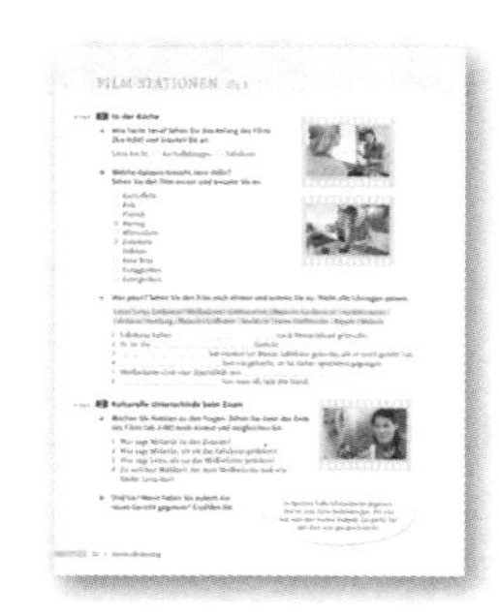

FILM-STATIONEN

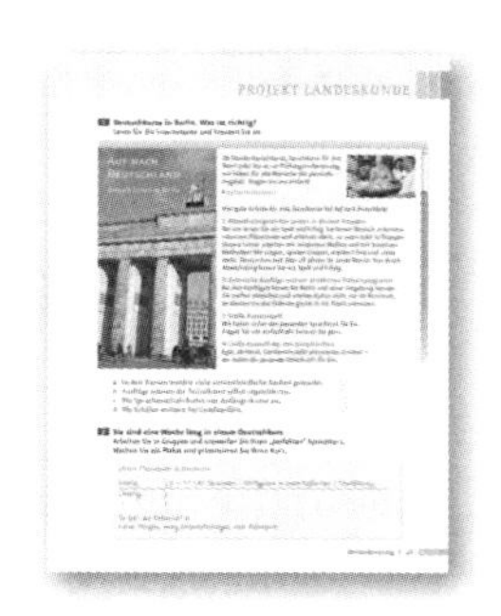

PROJEKT LANDESKUNDE

AUSKLANG

So? ... Oder So?

Lesemagazin:	Eine Magazinseite mit vielfältigen Lesetexten (z.B. Blogs, Webseiten, Zeitschriften- und Zeitungstexte, Briefe, Reiseführer und vieles mehr) und dazu passenden Aufgaben.
Film-Stationen:	Fotos und Aufgaben zu den Filmsequenzen.
Projekt Landeskunde:	Ein informativer Hintergrundtext mit Anregungen für ein Projekt. Hier liegt der Schwerpunkt auf handlungsorientiertem Lernen, das zu echter Kommunikation führt.
Ausklang:	Ein Lied mit Anregungen für einen kreativen Einsatz im Unterricht.

Ideen für die Einsatzmöglichkeiten der Modul-Plus-Seiten im Unterricht finden Sie im Kapitel „Praktische Tipps" (Seite 8).

Aufbau und Inhalte der DVD-ROM

Die integrierte DVD-ROM bietet individuelle Erweiterungs- und Vertiefungsaufgaben sowie Memorierungsübungen für das selbstständige, zusätzliche Arbeiten zu Hause. Die unterschiedlichen Inhalte und Übungsformen bieten Differenzierungsmöglichkeiten für verschiedene Teilnehmerprofile. Mithilfe der transparenten Verweise im Kursbuch können die Teilnehmenden selbst entscheiden, ob und wann sie welche Aufgaben und Übungen auf der DVD-ROM bearbeiten möchten.

Folgende Verweise im Kursbuch führen zur DVD-ROM:

interessant?	... ein Lese- oder Hörtext (mit Didaktisierung) oder Zusatzinformationen, die das Thema aufgreifen und aus einem anderen Blickwinkel betrachten
noch einmal?	... hier kann man den Kursbuch-Hörtext noch einmal hören und alternative Aufgaben dazu lösen
Spiel & Spaß	... eine kreative, spielerische Aufgabe zu den neuen Strukturen, den Redemitteln oder dem neuen Wortschatz
Comic	... ein Comic, der an das Kursbuch-Thema anknüpft
Beruf	... erweitert oder ergänzt das Thema um einen beruflichen Aspekt
Diktat	... ein interaktives Diktat (Hör-, Seh-, Lücken-, Vokal- oder Konsonantendiktat)
Audiotraining	... Automatisierungsübungen für zu Hause und unterwegs zu den Redemitteln und Strukturen
Karaoke	... interaktive Übungen zum Nachsprechen und Mitlesen

Das Material der DVD-ROM kann auch als Zusatzmaterial im Unterricht eingesetzt werden. Dafür bieten sich besonders das Audiotraining, die Karaoke-Übungen und die Filme an. Je nach Interessen der Lernenden können auch die Aufgaben zu den Berufs- und den Interessant-Verweisen gemeinsam im Kurs bearbeitet werden.

Die DVD-ROM-Inhalte stehen auch im Lehrwerkservice unter www.hueber.de/menschen/lernen zur Verfügung. Dieser Bereich ist passwortgeschützt, den Zugangscode finden Sie im Kursbuch auf Seite 2.

1.3.2 Das Arbeitsbuch

Das separate Arbeitsbuch bietet im Basistraining vielfältige Übungen zu den Kursbuchaufgaben – als Hausaufgabe oder für die Still- und Partnerarbeit im Kurs. Darüber hinaus enthält das Arbeitsbuch Übungen zur Phonetik, eine Übersicht des Lernwortschatzes jeder Lektion und ein Fertigkeitentraining, das auf die Prüfungen vorbereitet. Zudem bietet es Lernstrategien und Lerntipps sowie zahlreiche Wiederholungsübungen und Tests. Alle Hörtexte des Arbeitsbuchs finden Sie auf der im Arbeitsbuch integrierten Audio-CD. Für den Einsatz in Zuwandererkursen gibt es eine gesonderte Arbeitsbuchausgabe: *Menschen hier.*

Die Lösungen zu allen Aufgaben im Arbeitsbuch finden Sie im Internet unter www.hueber.de/menschen bzw. www.hueber.de/menschen-hier (für die Arbeitsbuchausgabe *Menschen hier*).
Die Lösungen zu den Selbsttests finden die Teilnehmenden zur Selbstkontrolle im Anhang des Arbeitsbuchs.

2 Praktische Tipps für den Unterricht

2.1 Die Arbeit mit den Einstiegsseiten

Aufgaben und Tipps zur Arbeit mit den Einstiegsseiten:

Hypothesen bilden
Die TN sehen sich das Foto an und spekulieren in ihrer Muttersprache bzw., soweit die Sprachkenntnisse es zulassen, in der Zielsprache darüber, was hier passiert. (Wer? Wo? Was? Wann? Wie? Warum?). Verweisen Sie die TN ggf. auch auf den Titel der jeweiligen Lektion. So können Sie neuen Wortschatz vorentlasten bzw. mit zunehmenden Sprachkenntnissen bekannten Wortschatz aktivieren.

Assoziationen sammeln
Die TN sammeln Wörter, Situationen oder Redemittel, die ihnen zu dem Foto und/oder dem Hörtext einfallen. Der Fantasie der TN sind dabei keine Grenzen gesetzt.

Geschichten erzählen
Mit zunehmenden Sprachkenntnissen arbeiten die TN in Gruppen und erzählen – mündlich oder schriftlich – eine Geschichte zu dem Bild. Sie können sich gemeinsam auf eine Geschichte einigen oder eine Geschichte abwechselnd weitererzählen.

Rollenspiele
Im Anschluss an die Einstiegsaufgaben schreiben die TN ein zu dem Foto oder zu dem Hörtext passendes Rollenspiel und spielen es im Kurs vor. Im Anfangsunterricht können die TN die Situation alternativ pantomimisch nachspielen.

Wortschatzarbeit
Nutzen Sie die Einstiegsseiten auch für die Wortschatzarbeit. Die TN suchen in Gruppen- oder Partnerarbeit passenden Wortschatz zum Thema im Wörterbuch. Ab der Niveaustufe A2 können die TN passenden Wortschatz wiederholen. Verweisen Sie die TN auf die Lernziele und die dort genannten Wortfelder sowie auf das Bildlexikon.

Bezug zur eigenen Lebenswelt
Bevor sie auf der folgenden Doppelseite weiterarbeiten, verknüpfen die TN die Situation auf der Einstiegsseite mit ihrer eigenen Lebenswelt. Sie bewerten die Situation, äußern ihre eigene Meinung oder erzählen von eigenen Erfahrungen, soweit sprachlich möglich. In sprachhomogenen Lerngruppen bietet sich auch die Nutzung der gemeinsamen Muttersprache an, um einen emotionalen, teilnehmerorientierten Einstieg in die Geschichte bzw. die Lektion zu gewährleisten und so den Lernerfolg zu steigern.

2.2 Die Arbeit mit den Aktionsseiten

Auf den Aktionsseiten werden die Redemittel und/oder die neuen Strukturen der Lektion in Partner- oder Gruppenarbeit angewendet. Sie finden hier Wechsel- und Rollenspiele sowie spielerische Aktivitäten mit dem Ziel echter Kommunikation im Kursraum.

Die Aufgaben variieren von sehr gelenkten Aufgaben, in denen der neu eingeführte Stoff erstmalig angewendet wird, bis hin zu sehr freien Aktivitäten, in denen es in erster Linie um die selbstständige Kommunikation geht. Vermeiden Sie bei den freien Aktivitäten Korrekturen. Sammeln Sie stattdessen während dieser Arbeitsphasen typische Fehler der TN, um sie nach Beendigung der Gruppen- bzw. Partnerarbeit im Plenum bewusst zu machen und zu korrigieren.

Hinweise und Tipps, mit denen Sie bei Bedarf das freie Sprechen vorbereiten und erleichtern können:

- Die TN nutzen als Hilfe die Übersichtsseiten mit den Redemitteln.
- Schreiben Sie die relevanten Redemittel an die Tafel, auf eine Folie oder ein Plakat.
- Schreiben Sie zusammen mit den TN ein Beispielgespräch an die Tafel. Entfernen Sie im Laufe der Aktivität nach und nach einzelne Passagen, bis die TN den Dialog ganz frei sprechen.
- Die TN schreiben einen Musterdialog auf ein Plakat und markieren die relevanten Redemittel farbig. Die Plakate werden anschließend im Kursraum aufgehängt.
- Die TN bereiten Karten mit den wichtigsten Redemitteln vor und nutzen die Karten zur Unterstützung beim Sprechen. Jede verwendete Karte wird umgedreht und die TN sprechen so lange, bis alle Karten umgedreht sind.
- Die TN schreiben zunächst gemeinsam einen Dialog, korrigieren ihn gemeinsam, lernen ihn dann auswendig und spielen ihn anschließend frei nach.
- Die TN machen sich vor der Aktivität Notizen und üben halblaut.
- Nutzen Sie das Audiotraining auf der integrierten DVD-ROM zum Automatisieren, bevor die TN die Redemittel frei anwenden. Die TN bewegen sich im Kursraum und sprechen die Redemittel nach.

2.3 Die Arbeit mit den Grammatik- und Redemittelübersichten

Mit den Übersichten zu Grammatik und Kommunikation können die TN sowohl direkt im Anschluss an die Lektion als auch später zur Wiederholung arbeiten:

- Erstellen Sie Lückentexte aus den Übersichtsseiten. Die TN ergänzen in Partnerarbeit die Lücken und vergleichen anschließend mit dem Original.
- Erstellen Sie ein Satzpuzzle aus den Redemitteln einer oder mehrerer Lektionen. Die TN sortieren die Redemittel.
- Die TN schreiben kurze Gespräche mithilfe der Redemittel.
- Sofern die Sprachkenntnisse es schon zulassen, erweitern die TN die Redemittel um eigene Beispiele.
- Die TN erarbeiten ihre eigenen Übersichten. Sie sammeln die wichtigen Redemittel und Grammatikthemen der Lektion und vergleichen ihr Resultat anschließend mit der Übersichtsseite. Die Ergebnisse können die TN im Portfolio aufbewahren.
- Die TN ergänzen die Grammatikzusammenfassungen um eigene Satzbeispiele.
- Ein TN liest die Überschrift der Redemittelkategorie und dann das erste Wort des ersten Eintrags vor. Der TN links versucht, das zweite Wort zu erraten. Wenn falsch geraten wird, liest die Vorleserin / der Vorleser das erste und das zweite Wort vor und der nächste TN versucht, das dritte Wort zu erraten. Wenn ein TN das Wort richtig errät, liest der vorlesende TN den ganzen Satz. Der TN, der das Wort richtig erraten hat, wird der nächste Vorleser.

- Nutzen Sie das Audiotraining und die Karaoke-Übungen auf der eingelegten Kursbuch-DVD-ROM auch im Unterricht. Die TN sprechen nach und bewegen sich dabei frei im Kursraum.
- Die TN nutzen bei Bedarf die Übersichtsseiten als Hilfsmittel bei den kommunikativen Aufgaben.

2.4 Die Arbeit mit den Modul-Plus-Seiten

2.4.1 Das Lesemagazin

Aufgaben und Tipps zur Arbeit mit den Lesetexten:

- Nutzen Sie Bilder und Überschriften, um Erwartungen an den Text zu wecken und das Vorwissen der TN zu aktivieren.
- Verweisen Sie auf Fremdwörter und Wörter mit Ähnlichkeiten in anderen Sprachen. Diese können beim Textverständnis helfen.
- Stellen Sie W-Fragen zum Text (Wer? Was? Wann? Wo? Wie? Warum?).
- Die TN erarbeiten die wichtigsten Textsortenmerkmale.
- Die TN erstellen Aufgaben füreinander, beispielsweise Richtig-/Falsch-Aufgaben, Fragen zum Text, Lückentexte (mit und ohne Schüttelkasten) o.Ä.
- Erstellen Sie ein Textpuzzle aus dem Text, das die TN sortieren.
- Die TN formulieren zu jedem Textabschnitt eine Überschrift (bei Texten in der dritten Person) bzw. eine Frage (bei Texten in der ersten Person).
- Die TN formulieren die Texte um (von der ersten Person in die dritte Person bzw. umgekehrt, vom Präsens in die Vergangenheit bzw. umgekehrt, vom Aktiv ins Passiv etc.)
- Die TN schreiben eine Zusammenfassung des Textes.
- Wortschatzarbeit: Die TN suchen wichtige Wörter aus dem Text und sortieren sie nach Wortfeldern.

2.4.2 Die Film-Stationen

Aufgaben und Tipps zur Arbeit mit den Filmen:

- Nutzen Sie die Fotos und die Filmüberschriften, um Erwartungen an die Filme zu wecken und das Vorwissen der TN zu aktivieren.
- Stellen Sie W-Fragen zum Film (Wer? Was? Wann? Wo? Wie? Warum?).
- Die TN erstellen Aufgaben füreinander, beispielsweise Richtig-/Falsch-Aufgaben, Fragen zum Film, Zuordnungsaufgaben etc.
- Die TN erzählen den Film – mündlich oder schriftlich – nach.
- Die TN spielen die Filmszenen pantomimisch nach.
- Die TN schreiben und spielen Rollenspiele zu dem Film.
- Die TN nutzen die Filmvorlage für entsprechende eigene Filme. Sie können dabei z.B. ihre Foto-Handys verwenden. Anschließend stellen die TN ihre Filme auf die Lernplattform oder zeigen sie im Kurs.
- Nutzen Sie die Filme als Anregung, um Projekte innerhalb und außerhalb des Klassenraums durchzuführen.

2.4.3 Das Projekt Landeskunde

Tipps und Hinweise zur Arbeit mit den Projekten:

- Bereiten Sie die Projekte zusammen mit den TN gut vor. Wiederholen bzw. erarbeiten Sie mit den TN die benötigten Redemittel.
- Sammeln Sie mit den TN Ideen, in welcher Form sie ihre Ergebnisse veranschaulichen wollen (Plakate, Collagen, Folien, Dateien, Filme, Tonaufnahmen etc.)
- Weisen Sie die TN ggf. auch auf vorhandene Textvorlagen und Textbeispiele hin.
- Wenn Sie im Präsenzunterricht nicht genügend Zeit haben, können Sie die Projekte auch als Hausaufgabe bearbeiten lassen.
- Die TN präsentieren ihre Ergebnisse im Kurs. Bei der Verwendung von neuem Wortschatz wird dieser den anderen TN vor Beginn der Präsentation an der Tafel vorgestellt. Die Gruppen sollten am Ende ihrer Präsentation Raum für Fragen und Kommentare der anderen TN einplanen.
- Die TN sammeln die Ergebnisse der Projekte ggf. in Ordnern oder stellen sie auf die Lernplattform.

In Verbindung mit den Projekten schreiben die TN häufig auch Texte. Die einführenden Lesetexte dienen dabei in der Regel als Muster für die eigene Textproduktion. Das Schreiben ist eine komplexe Tätigkeit. Trainieren Sie daher mit den TN die unterschiedlichen Aspekte des Schreibprozesses auch einzeln:

- Die TN sammeln Ideen und notieren dabei zunächst nur Stichwörter (z.B. als Mindmap).
- Die TN sortieren ihre Ideen. In welcher Reihenfolge wollen sie auf die Aspekte eingehen?
- Vor dem Schreiben überlegen die TN, welche Textsortenmerkmale für den jeweiligen Text zu beachten sind.
- Die TN korrigieren ihren Entwurf. Dabei sollten sie den Text mehrmals mit jeweils unterschiedlichem Fokus lesen. Auf der Niveaustufe A1 sind beispielsweise folgende Fragestellungen relevant: inhaltlicher Fokus, Wortstellung, Konjugation und Rechtschreibung.

2.4.4 Der Ausklang

Auf diesen Seiten haben die TN die Möglichkeit, mit Musik und Bewegung zu lernen. Je begeisterter Sie selbst mit- und vormachen, desto eher werden die TN bereit sein, mitzumachen und sich auf diese Art des Lernens einzulassen.

Aufgaben und Tipps für den Umgang mit Liedern und Musik:

- Wenn Ihr Kurs daran Spaß hat, dann machen Sie das Singen zu einem Ritual: Singen Sie immer am Anfang und/oder Ende einer Stunde gemeinsam. Fordern Sie die TN auf, auch selbst deutsche Lieder mit in den Kurs zu bringen.
- Singen Sie zu vorhandenen Musikaufnahmen. Das vermindert die Hemmungen bei den TN.
- Zeigen Sie Videos zu den Musikaufnahmen aus dem Internet.
- Die TN klatschen oder trommeln den Rhythmus der Lieder mit oder bewegen sich zu den Liedern im Raum.
- Jeder TN bekommt einen Liedausschnitt und hält ihn hoch, wenn dieser gespielt wird. Beim zweiten Hören stellen die TN sich in die richtige Reihenfolge. Beim dritten Hören wird mitgesummt.

- Erstellen Sie Liedpuzzle, die die TN in Gruppenarbeit sortieren.
- Erstellen Sie Lückentexte aus Liedtexten, die die TN ergänzen.
- Die TN spielen ein Lied pantomimisch nach.
- Die TN hören Musik und schließen die Augen. Sprechen Sie anschließend über die Assoziationen und/oder inneren Bilder der TN. Das können Sie sowohl ganz frei als auch unter Vorgabe bestimmter Themen machen, z.B.: An welches Wetter denken Sie? Wo sind sie? Was machen Sie?

2.5 Förderung unterschiedlicher Lerntypen

2.5.1 Aktivitäten mit Bewegung

Aktivitäten, bei denen sich die TN im Kursraum bewegen dürfen, sind nicht nur etwas für Lerntypen, die auf diese Weise den Lernstoff besser verarbeiten und erinnern. Generell lässt sich sagen: Je mehr Kanäle angesprochen werden, desto besser werden Wörter und Strukturen behalten. Bewegung ist besonders in Intensivkursen empfehlenswert, damit die TN mal wieder etwas Sauerstoff tanken und sich wieder besser konzentrieren können. Hier ein paar Vorschläge:

- Die TN „tanzen" neue Grammatikphänomene. Schon mit einfachen Tanzschritten (Schritt nach vorn, nach hinten, nach rechts bzw. nach links) können Sie alle Grammatikthemen mit bis zu vier Auswahlmöglichkeiten abbilden. Beispielsweise die Genuswahl: maskulin = Schritt vor, neutral = Schritt zurück und feminin = Schritt nach rechts.
- Die TN bewegen sich frei im Kursraum und klatschen/trommeln Betonungsmuster von Wörtern und kommunikativen Redemitteln.
- Die TN bewegen sich frei im Kursraum und sprechen die Redemittel des Audiotrainings nach.
- Arbeiten Sie mit Bällen oder Tüchern. Dies bietet sich insbesondere im Anfängerunterricht an, in dem sich die Kommunikation auf kurze Sequenzen mit Fragen und Antworten beschränkt.
- Lassen Sie die TN Rollenspiele nicht nur sprechen, sondern auch darstellen. Dafür müssen die TN in der Regel aufstehen!
- Aktivierung von Vorwissen: Die TN bilden zwei Gruppen, laufen abwechselnd an die Tafel und notieren um die Wette bekannten Wortschatz.
- Die TN stellen sich nach bestimmten Kriterien in eine Reihe (z.B. nach dem Geburtsdatum oder dem Alphabet).
- Gelebte Anweisungen: Die TN geben sich gegenseitig Anweisungen und führen diese aus.
- Lebendige Sätze: Jeder TN bekommt eine Karte und stellt sich an die richtige Position im Satz.
- Konjugationsübung: Legen Sie Karten mit den Personalpronomen auf den Boden. Die TN laufen die Karten ab und konjugieren dabei verschiedene Verben.

2.5.2 Weitere Aktivitäten für unterschiedliche Lerntypen

Auch folgende Aktivitäten berücksichtigen die Vorlieben unterschiedlicher Lerntypen besonders gut:

- Die TN stellen einen Satz pantomimisch dar. Die anderen TN erraten und rekonstruieren den Satz Wort für Wort.
- Die TN einigen sich auf ein System akustischer Signale, mit denen sie Satzzeichen in einem Text ergänzen können. Jeder TN bekommt ein Satzzeichen zugeordnet. Ein TN liest einen Text vor und die anderen geben an den entsprechenden Stellen das jeweilige akustische Signal oder Zeichen.

- Die TN schließen beim Hören eines Textes oder Dialoges die Augen und stellen sich die Situation bildlich vor. Anschließend beschreiben sie sich gegenseitig ihre mentalen Bilder.
- Vereinbaren Sie mit den TN Bewegungen und/oder Signale für bestimmte grammatikalische Phänomene. Sie und die TN können diese dann z.B. auch bei der Fehlerkorrektur bzw. der Bewusstmachung von Fehlern nutzen (Beispiel: Scherenbewegung für trennbare Verben).
- Nutzen Sie Farben für bestimmte grammatische Phänomene. Verwenden Sie z.B. die Farben aus dem Bildlexikon für Genus und Numerus. Vereinbaren Sie mit den TN auch Farben für die Verwendung der Kasus.
- Verwenden Sie Sprachrätsel im Unterricht. Lassen Sie die TN eigene Sprachrätsel erstellen: Die TN zeichnen z.B. einen oder mehrere Teile von zusammengesetzten Wörtern, die anderen erraten das Wort.
- Lassen Sie die TN Texte und Gespräche auswendig lernen: Hängen Sie ein paar Kopien des Textes an die Wand. Die TN prägen sich den Text ein und gehen dann langsam durch das Klassenzimmer und murmeln den Text leise vor sich hin. Wenn sie sich an einzelne Abschnitte nicht erinnern können, gehen sie zurück zu den Kopien und prägen sich den entsprechenden Abschnitt noch einmal ein.
- Aktivität zur Wiederholung: Die TN spielen (pantomimisch oder summend statt sprechend) oder musizieren einen Dialog aus *Menschen*. Die anderen TN erraten, welcher Dialog vorgespielt bzw. musiziert wird.
- Erstellen Sie einen Lückentext, in dem Silben und/oder Buchstaben fehlen. Die TN erraten die fehlenden Buchstaben bzw. Silben.
- Ein TN zeichnet die Umrisse eines Gegenstandes in der Luft. Die anderen TN erraten den Gegenstand.
- Schrittweise zeichnen: Ein TN zeichnet nach und nach einen Gegenstand. Die anderen TN erraten, um welchen Gegenstand es sich handelt.
- Ein TN zeichnet einen Gegenstand aus einer ungewöhnlichen Perspektive (z.B. eine Mütze von oben). Die anderen TN erraten, um was es sich handelt.

2.6 Wortschatz

Zahlreiche der folgenden Vorschläge eignen sich für kurze Einstiegsaufgaben am Anfang bzw. kurze Wiederholungsübungen am Ende einer Stunde oder für die Auflockerung zwischendurch.

Aufgaben und Tipps für Wortschatzübungen:

- Führen Sie im Kurs einen gemeinsamen Vokabelkasten. Die TN versehen die Vokabelkärtchen mit Zeichnungen und Beispielsätzen.
- Die TN sortieren/sammeln Wortschatz nach Wortfeldern oder zu vorgegebenen Kriterien und bewahren ihre Sammlungen im Portfolio auf.
- Ermuntern Sie die TN, sich Wortschatzparallelen und -unterschiede zu anderen ihnen bekannten Sprachen bewusst zu machen.
- Die TN sammeln Assoziationen zu bestimmten Wörtern, Themen oder Situationen.
- Die TN sammeln Wortschatz zu abstrakten Bildern.
- Geben Sie ein langes Wort vor. Die TN finden in Gruppenarbeit andere Wörter, die sich aus den Buchstaben des vorgegebenen Wortes bilden lassen.
- Umschreiben Sie Wörter. Die TN raten das passende Wort.
- Die TN bilden Wortketten: Ich packe meinen Koffer. Oder: Endbuchstabe eines Wortes = neuer Anfangsbuchstabe.

- Die TN erstellen Wortschatzübungen füreinander: Welches Wort passt nicht in die Reihe? Kreuzworträtsel, Silbenrätsel, Memo-Spiele, Buchstabensalate etc. (vgl. hierzu auch die Kategorie „Aufgaben füreinander“ im Arbeitsbuch).
- Erstellen Sie eine Folie des Lernwortschatzes. Geben Sie den TN eine Minute Zeit, die Wörter zu memorieren. Anschließend notieren die TN allein, in Partner- oder Kleingruppenarbeit alle Wörter, die sie behalten haben. Wer konnte die meisten Wörter mit richtiger Rechtschreibung behalten?
- Die TN tauschen Eselsbrücken aus, die ihnen helfen, Wörter zu memorieren.
- Wortschatz raten: Die TN erzählen, was man mit dem zu erratenden Ding machen kann. Diese Übung macht am meisten Spaß, wenn die TN auch fantasievolle und untypische Dinge nennen.
- Wortschatzwettspiel: Die TN notieren einzeln, in Partner- oder in Gruppenarbeit Wortschatz zu bestimmten Themen: alles, was rot ist, alles, was die TN an Regen erinnert, etc.
- Lesen Sie bekannte Texte mit Wortschatzfehlern vor, ohne dass die Sätze sprachlich falsch werden. Die TN geben ein Zeichen, sobald sie einen Fehler erkennen.
- Lesen Sie einen Text vor und machen Sie jeweils vor einem Schlüsselwort eine Pause. Die TN notieren das fehlende Wort.

2.7 Schreibtraining

Allgemeine Aufgaben und Tipps für ein Schreibtraining:

- Verweisen Sie die TN auf die Diktate auf der DVD-ROM.
- Lassen Sie die TN gemeinsam Texte schreiben.
- Die TN korrigieren sich gegenseitig und kommentieren ihre Texte. Achten Sie auch hier darauf, dass die Korrekturen jeweils einen bestimmten Fokus haben.
- Ermutigen Sie die TN, auch in ihrer Freizeit auf Deutsch zu schreiben. Sie können sich z.B. gegenseitig SMS und E-Mails schreiben.
- Die TN erstellen Textsammlungen oder veröffentlichen die Texte auf einer Lernplattform. Es ist motivierend, nicht nur für den Kursleitenden zu schreiben.
- Geben Sie den TN auch kreative Schreibanlässe: Lassen Sie die TN beispielsweise Gedichte und/oder Geschichten verfassen. Bieten Sie TN mit weniger Fantasie Bildergeschichten als Puzzle an: Die TN sortieren zunächst die Bilder und schreiben dann zu jedem Bild einen Satz.

2.8 Binnendifferenzierung

Tipps und Hinweise für die Binnendifferenzierung:

- 70%-Regel: Von zehn Aufgaben machen lernungewohnte TN nur sieben. Die restlichen drei können sie als Hausaufgabe machen.
- Begrenzen Sie den Zeitumfang für das Lösen von Aufgaben. Achten Sie dann beim gemeinsamen Vergleichen darauf, dass Sie mit den lernungewohnten TN anfangen.
- Schnelle TN notieren ihre Lösungen auf einer Folie oder an der Tafel.
- Schnelle TN erstellen zusätzliche Aufgaben füreinander.
- Die TN variieren den Umfang ihrer Sprachproduktion. Während sich beispielsweise lernungewohnte TN auf die Produktion neuer Verbformen konzentrieren, formulieren Lerngewohnte ganze Sätze.

- Reduzieren Sie die Vorgaben und Hilfestellungen für lerngewohnte TN. Entfernen Sie beispielsweise vorhandene Auswahlkästen.
- Setzen Sie lerngewohnte TN als Co-Lehrer ein. Sie helfen anderen TN oder bereiten den nächsten Arbeitsschritt vor, sodass Sie Zeit für einzelne TN haben.
- Ermuntern Sie die TN, die Zusatzübungen auf der integrierten Kursbuch-DVD-ROM nach Interesse zu wählen.
- Bieten Sie Wiederholungseinheiten zu unterschiedlichen Themen an, die die TN frei wählen können (beispielsweise zu den unterschiedlichen Fertigkeiten und Teilfertigkeiten oder zu unterschiedlichen Grammatikthemen).
- Lassen Sie die TN auf den Filmseiten ein Thema wählen, zu dem sie einen eigenen Film machen wollen.
- Zu einzelnen Aufgaben finden Sie in diesem Lehrerhandbuch Hinweise zu alternativen Aufgabenstellungen. Lassen Sie die TN die Aufgabenstellung selbst wählen.
- Die TN wählen selbst die Sozialform, in der sie Aufgaben lösen möchten. Achten Sie darauf, dass Sie entweder den zeitlichen Rahmen begrenzen oder zusätzliche Aufgaben für TN, die die Aufgabe in Einzelarbeit bearbeiten, bereithalten.
- Die TN wählen selbst, in welcher Form sie die neue Grammatik aufbereiten wollen: Kognitive TN erstellen Tabellen und formulieren einfache Regeln, kommunikative Lernende üben die Grammatik in gelenkten, kommunikativen Übungen, visuell orientierte TN erstellen Plakate und markieren die Phänomene in unterschiedlichen Farben.

2.9 Lernerautonomie

Aufgaben und Hinweise, um die Sprachbewusstheit der TN zu fördern:

- Ermuntern Sie die TN, Hypothesen über die grammatischen Regeln zu bilden, zu überprüfen und ggf. zu revidieren.
- Die TN vergleichen ihre Hypothesen und tauschen Eselsbrücken aus, mit denen sie sich Phänomene merken.
- Die TN notieren grammatische Regeln, so wie sie sie verstanden haben. Sie können dafür auch ihre Muttersprache nutzen.
- Die TN vergleichen die Grammatik mit der Grammatik in anderen Sprachen und machen sich Parallelen und Unterschiede bewusst.
- Die TN nutzen beim Wortschatzlernen Parallelen und Unterschiede zu anderen Sprachen.
- Die TN erstellen Aufgaben füreinander: Grammatikübungen, Lückentexte, Dialogpuzzle etc.

Aufgaben und Hinweise, um die Reflexion über das Sprachenlernen zu fördern:

- Reservieren Sie eine feste Zeit in der Woche, in der die TN sich mit dem Thema Sprachenlernen auseinandersetzen können.
- Für die Arbeit mit den Portfolioseiten (www.hueber.de/menschen/lernen) schaffen sich die TN einen Ringbuchhefter an.
- Setzen Sie die Portfolioseiten im Unterricht ein.
- Die TN tauschen sich in Kleingruppen aus und verwenden dabei ihre Muttersprache.
- Die TN probieren die Lerntipps aus und bewerten sie.
- Verweisen Sie auch regelmäßig auf die Lerntipps auf den Fertigkeiten- und den Lernwortschatzseiten.

- Die TN führen ein Lerntagebuch, in dem sie ihre Erfahrungen festhalten. Was habe ich ausprobiert? Was hat mir geholfen?
- In einem Lerntagebuch notieren die TN regelmäßig, was sie gelernt haben, und dokumentieren so ihren Lernfortschritt.
- Regen Sie die TN an, sich auch zu notieren, was sie außerhalb des Unterrichts gelernt haben.

Aufgaben und Hinweise, um den Lernzuwachs zu evaluieren und das Lernen zu planen:

- Die TN bearbeiten die Rubrik „Selbsteinschätzung" im Arbeitsbuch. Lassen Sie die Selbsteinschätzung nach einiger Zeit wiederholen. Was können die TN noch? (Tipp: Damit die Selbsteinschätzung mehrfach eingesetzt werden kann, sollten die TN sie mit Bleistift ausfüllen.)
- Besprechen Sie die individuellen Lernziele der TN und deren Umsetzung im Kurs oder individuell.
- Die TN überprüfen regelmäßig, ob sie ihre Lernziele erreicht haben, und dokumentieren ihre Auswertungen.
- Lassen Sie die Selbsttests des Arbeitsbuches im Unterricht bearbeiten und verweisen Sie die TN als Hausaufgabe auf die entsprechenden Online-Aufgaben unter www.hueber.de/menschen/lernen.
- Die TN korrigieren ihre Selbsttests gegenseitig.
- Prüfen Sie den Lernfortschritt mithilfe der Tests zu den Modulen in diesem Lehrerhandbuch ab Seite 130.

UNTERRICHTSPLAN ERSTE STUNDE

	FORM	ABLAUF	MATERIAL	ZEIT
1	PL, PA	Verteilen Sie große Zettel und dicke Filzstifte an die TN. Die TN notieren, welche Städte, Landschaften, Berge und Flüsse sie in Deutschland, Österreich und der Schweiz kennen. Legen Sie in der Mitte des Kursraums eine Schnur so aus, dass sich grob die Umrisse von Deutschland ergeben. Mit einer anderen Schnur legen Sie Österreich und die Schweiz. Die TN legen ihre Zettel an die Stelle in die Umrisse, an denen sich die Orte, Berge usw. in etwa befinden. Hilfe finden sie auf der Karte in der Innenseite des Buchumschlags. Steht nur wenig Platz zur Verfügung, genügt es, wenn die TN an ihrem Sitzplatz ein Schild mit der Lieblingsstadt/-region aufstellen. Teilen Sie den Kurs in zwei Gruppen, z.B. indem Sie zwei Sorten Bonbons anbieten. Diejenigen, die das gleiche Bonbon haben, bilden eine Gruppe. Die TN aus Gruppe A stellen sich jeweils an ihren Lieblingsort auf der „Kursraum-Landkarte". Die TN aus Gruppe B suchen sich nun eine Partnerin / einen Partner aus Gruppe A und lassen sich von dieser/diesem erzählen, warum sie/er dort steht.	große Zettel, Filzstifte, bunte Schnüre, Bonbons	
2	PA	Die Paare stellen sich weitere Fragen zu Sprachen, Hobbys, Beruf usw., um drei weitere Gemeinsamkeiten zu finden. Geben Sie ggf. vorab ein Beispiel, indem Sie verschiedene TN so lange befragen, bis Sie mit einem TN eine Gemeinsamkeit entdecken.		
3	PL (PA)	Die Paare stellen sich kurz vor und erzählen von ihren Gemeinsamkeiten. Wenn die TN sich nicht aus vorhergehenden Kursen kennen, kann eine zweite Runde gespielt werden. Diesmal wählen die TN der Gruppe B zuerst ihren Lieblingsort.		

Verwendete Abkürzungen:

TN = Teilnehmer/-in
EA = Still- oder Einzelarbeit
GA = Gruppenarbeit
PA = Partnerarbeit
PL = Plenum

	FORM	ABLAUF	MATERIAL	ZEIT
1	PL/ PA	Führen Sie ein kurzes Gespräch auf Deutsch zum Einstiegsfoto. Die TN spekulieren darüber, wer die Personen sind, besonders die auf dem Smartphone, warum der junge Mann das Bild zeigt, usw. Wenn die TN sich aus vorherigen Kursen bereits kennen, kann das auch in Partnerarbeit geschehen. Vielleicht erfinden die Paare eine kleine Geschichte zu dem Foto, notieren sich Stichworte und erzählen sie im Plenum. Dann lesen die TN die Aussagen. Sie hören das Gespräch und kreuzen an. Anschließend Kontrolle. *Lösung:* a falsch; b falsch; c richtig; d unbekannt	CD 2.01	
2	PL (GA)	Teilen Sie die TN in zwei gleich große Gruppen. Die Gruppen stehen sich in einem Außen- und einem Innenkreis gegenüber. Die einander gegenüberstehenden Paare erzählen sich gegenseitig von ihrem ersten deutschen Wort bzw. ihrem ersten deutschen Satz. Wo haben sie es/ihn gehört oder gelesen? Auf Ihr Kommando (in die Hände klatschen) bewegt sich der Außenkreis um eine Person weiter und das Gespräch beginnt erneut. Verfahren Sie in kleinen Kursen so, bis der Außenkreis wieder am Anfang angekommen ist. In größeren Kursen sollten Sie nach vier bis fünf Runden abbrechen, damit die Übung nicht langatmig wird. Alternativ schreiben die TN ihr erstes Wort oder ihren ersten deutschen Satz auf ein Kärtchen. Sammeln Sie die Kärtchen ein. Die TN arbeiten in Kleingruppen. Bereiten Sie zu Hause für jede Kleingruppe zusätzlich ein Kärtchen mit einem weiteren Beispiel. Jede Kleingruppe erhält nun so viele Kärtchen, wie sie TN hat, plus eines Ihrer Kärtchen, aber so, dass nicht deutlich wird, welche Karte von Ihnen ist. Die Kleingruppen sehen sich ihre Kärtchen an und spekulieren, von wem die Worte/Sätze sein könnten. Sagen Sie den TN, dass jede Gruppe eine Karte hat, die zu niemandem passt. Im Plenum stellen die Kleingruppen ihre Ergebnisse vor.	Kärtchen	
3	PL	a Die TN sehen sich das Foto an und stellen weitere Vermutungen über die Personen an (*Wo sind sie? Wie gut kennen sie sich?*). Dann lesen sie die Fragen und hören das Gespräch weiter. Da es sich um ein längeres Gespräch handelt, ist es ratsam, das Gespräch zunächst einmal komplett hören zu lassen. Erst beim zweiten Hören machen die TN sich Notizen. Unterbrechen Sie den Hörtext bei Bedarf an den entsprechenden Stellen, um den TN Zeit für ihre Notizen zu geben. Anschließend Kontrolle. *Lösung:* 1 Wie heißt du? 2 Zu Hause (= in seinem Heimatland) am Strand. 3 Er lebt in Frankfurt und studiert dort.	CD 2.02	
	EA, PL, PA	b Die TN lesen die Aussagen und markieren zunächst aus dem Gedächtnis. Dann hören sie das Gespräch noch einmal und korrigieren bzw. ergänzen. Anschließend Kontrolle. *Lösung:* 1 eineinhalb Monate; 2 Deutschland; 3 an der Universität, am Goethe-Institut; 4 vierten; 5 Kurse besuchen, mit Muttersprachlern sprechen	CD 2.02	

	Tipp: Die TN kontrollieren ihre Lösungen zunächst zu zweit. So werden sie zum Gespräch über das Gehörte (oder Gelesene) angeregt und haben Gelegenheit, Fehler gemeinsam zu entdecken oder sich etwas von der Partnerin / dem Partner erklären zu lassen. Vor allem stillere TN, die Verständnisschwierigkeiten nicht im Plenum artikulieren, profitieren davon. Die TN überlegen allein oder zu zweit, was sie sonst noch erfahren haben. Spielen Sie bei Bedarf das Gespräch noch einmal vor und tragen Sie die Ergebnisse zusammen. Alternativ können Sie in Kursen mit überwiegend lernungewohnten TN weitere konkrete Fragen zum Gespräch stellen, z.B.: *Warum war Marie in Pauls Heimatland? Wie lange war sie dort?* usw. Schreiben Sie *Spaßvogel* an die Tafel. Die TN überlegen, was das Wort bedeutet. Erklären Sie es, wenn nötig.		
EA, PL, GA	c Die TN ordnen die Nebensätze im Grammatikkasten zu und kreuzen die Antworten an. Anschließend Kontrolle. *Lösung:* (von oben nach unten) Marie ist lange verreist, als sie mit der Schule fertig war. Sie hat mich nach Berlin eingeladen, als sie wieder zu Hause war. Ich habe das Stipendium bekommen, als ich im vierten Semester war. 1 einmal; 2 früher (Vergangenheit) Erklären Sie den TN anhand der Beispiele, dass die Konjunktion *als* einen Nebensatz einleitet, das Verb also am Ende steht. *Als* steht als temporale Konjunktion für ein einmaliges Ereignis in der Vergangenheit. Schreiben Sie Satz 3 aus Aufgabe b an die Tafel und erinnern Sie an die Satzstellung bei vorangestelltem Nebensatz: Der Nebensatz steht als erstes Satzglied, das Verb des Hauptsatzes hat – wie immer – die Position 2. Die TN formulieren die Beispiele aus dem Grammatikkasten um und schreiben sie ins Heft. Als Paul wieder zu Hause war, hat er Deutschkurse an der Universität besucht. Er hat Deutschkurse an der Universität besucht, als er wieder zu Hause war. … Um Sätze mit *als* zu üben, bringen Sie ein Foto einer interessant aussehenden Person mit (Frisur, Kleidung, Umgebung o. Ä.). Die TN sitzen im Kreis, das Foto liegt in der Mitte. Reihum erzählen die TN vom Leben dieser Person, was sie gemacht hat oder passiert ist, als sie … Jahre alt war. Die Erzählung schreitet chronologisch von der Geburt an voran. Jeder TN sagt einen Satz, das Spiel endet mit dem Ende des Lebens. Extra: Verteilen Sie an Kleingruppen einen Satz Kärtchen der Kopiervorlage. Die Kärtchen werden gemischt und verdeckt auf dem Tisch ausgelegt. Der erste TN zieht ein Kärtchen und vervollständigt den Satz. Dann zieht der nächste ein Kärtchen usw. Die Kleingruppen spielen mehrere Runden. Zur Festigung schreiben die TN zum Abschluss Sätze zu sechs beliebigen Kärtchen in ihr Heft.	Foto einer Person, KV L13|3c	

		Es ist empfehlenswert, intensiv und zunächst ausschließlich die Funktion von *als* zu üben, bevor mit temporalem *wenn* kontrastiert wird. Denn hier kommt es häufig zu Interferenzfehlern aus dem Englischen oder der Muttersprache der TN. Die unterschiedliche Funktion der Konjunktionen *als* und *wenn* (temporal) können Sie mithilfe der Übungen 3 bis 5 im Arbeitsbuch zeigen.		
4	EA, PA, PL, GA	Die TN schlagen die Aktionsseite auf und machen zunächst über sich selbst Notizen zu den Fragen. Dann befragen sie sich zu zweit nach dem Muster im Buch und notieren Stichworte über die Partnerin / den Partner. Alternativ oder zusätzlich schreiben die TN einen Text über ihre Sprachlerngeschichte, dabei nutzen sie ihre Notizen. Lerngewohnte TN können auch einen vergleichenden Text über sich und die Partnerin / den Partner schreiben. Extra 1: Die TN bereiten einen Kurzvortrag über ihre Sprachlerngeschichte vor. Am besten über mehrere Kurstage verteilt, werden die Vorträge gehalten. Damit alle aktiv zuhören, müssen die TN aufstehen, wenn sie eine Gemeinsamkeit mit der Erzählerin / dem Erzähler feststellen. Extra 2: Zur Vertiefung erhält jede Kleingruppe einen Spielplan der Kopiervorlage, Spielfiguren und einen Würfel. Die Kleingruppen spielen nach den angegebenen Regeln. Zusätzlich notieren sie am Ende zu zehn Themen des Spielplans je einen Beispielsatz, fünf mit *wenn* und fünf mit *als*. Sammeln Sie die Sätze ein und bereiten Sie sie als Einsetzübung auf. Diese Übung können Sie auch als Wiederholung zu einem späteren Zeitpunkt einsetzen. Moodle-Tipps: Die TN erzählen im Forum, wann, in welchem Alter und wo sie mit dem Deutschlernen angefangen haben. Sie kommentieren auch die Beiträge der anderen. Im Wiki stellen die TN einander Fragen mit *Wann?*, z.B.: *Esra, wann hast du den Olympiapark besucht? – Immer wenn ich in München war.*	KV L13|4, Spielfiguren, Würfel	
5	EA, PL, GA	a Die TN lesen den Ratgeber. Stellen Sie das Verständnis durch Fragen sicher (*Was ist für den kommunikativen Typ wichtig? – Sprechen*). Dann lesen die TN noch einmal und notieren, welche(r) Tipp(s) aus dem Bildlexikon am besten zu den Lerntypen passt/passen. Anschließend Besprechung im Plenum. Lesestrategie Expertenlesen: Die TN arbeiten zu dritt. Stellen Sie die Expertenrollen kurz vor: Ein TN ist Lesender, ein TN Erklärender und der dritte der Bildlexikon-Experte. Die TN einigen sich in der Kleingruppe über die Rollenverteilung. Der/Die Lesende liest dann den Text vor, und zwar so, dass nach jedem Spiegelpunkt eine Pause entsteht. Der/Die Erklärende fasst in eigenen Worten zusammen, was im Text steht. Der Bildlexikon-Experte nennt passende Bilder/Begriffe aus dem Bildlexikon.		
	EA	b Die TN schreiben den Notizzettel aus dem Buch ab und notieren, was ihnen beim Sprachenlernen hilft. Anregungen erhalten sie im Bildlexikon und im Text.		

	GA, EA, PL	c Präsentieren Sie den Kommunikationskasten (Folie/IWB) und erzählen Sie über Ihre eigenen Lernstrategien beim Sprachenlernen, wobei Sie die Kommunikationsmittel aus dem Kasten verwenden. Dann sprechen die TN in Kleingruppen über sich. Regen Sie die TN dazu an, auch Nachfragen zu stellen, sodass ein Gespräch in Gang kommt, z.B. *Wann machst du das Audiotraining? Machst du das mit dem MP3-Player?* usw. Extra: Verteilen Sie an jeden TN eine Kopiervorlage. Die TN zeichnen ihre Informationen in die Felder. Es darf nicht geschrieben werden! TN, die keine Idee haben, können sich am Bildlexikon orientieren. Geben Sie ein Beispiel, indem Sie selbst ein Blatt bemalen, und ermuntern Sie die TN mitzumachen, es müssen ja keine Kunstwerke entstehen. Im Gegenteil: Je weniger eindeutig ein Bild ist, desto mehr Gesprächsanlass bietet sich. Dann wird die Kopie am Pullover befestigt oder die TN halten sie sichtbar vor sich. Sie gehen herum und sprechen mit anderen über ihre Zeichnungen. Dabei sollen sie mit mindestens drei Personen sprechen. Zeigen Sie dabei die Redemittel aus dem Kommunikationskasten (Folie/IWB). Zusätzlich überlegen die TN in Kleingruppen, welche Tipps sie für das Sprachenlernen geben können. Dazu sucht sich jede Kleingruppe drei oder vier Themen aus dem Bildlexikon aus und notiert dazu Tipps auf Plakaten. Die Ergebnisse werden im Plenum vorgestellt. Nach einigen Tagen oder Wochen kann das Thema noch einmal aufgegriffen werden. Fragen Sie die TN, was sie ausprobiert haben, ob es geholfen hat usw. Moodle-Tipp: Die TN schreiben einen Text mithilfe des Korrekturmoduls darüber, welcher Lerntyp sie sind und/oder welche Lerntipps sie geben können.	Kommunikationskasten auf Folie/IWB, KV L13|5c	
6	EA, PL	a Die TN lesen die Texte und ordnen die Bilder zu. Anschließend Kontrolle. *Lösung:* A 3; B 2; C 1 Die TN lesen die Texte noch einmal und unterstreichen alle Wörter, die eine Begründung einleiten. Erinnern Sie an die Syntax bei *denn* und *weil*. Wenn Sie die Kopiervorlage (unten) einsetzen, nehmen Sie auch *deshalb* dazu. Fragen Sie die TN, welches der drei Wörter sie am schönsten finden. Die TN begründen ihre Wahl. Extra: Zur Wiederholung von *weil*, *denn* und *deshalb* verteilen Sie die Kopiervorlage. Die TN bearbeiten die Aufgabe. Anschließend Kontrolle.	KV L13|6a	

	EA, PL	b Die TN überlegen, welches deutsche Wort sie besonders schön finden und warum. Sie machen sich dazu Notizen. Dann schreiben sie einen kurzen Text über ihr Wort. Im Internet oder in Zeitschriften suchen sie nach einem Bild, das zu ihrem Wort passt. Damit die TN genug Zeit haben, über ein Lieblingswort nachzudenken und ein passendes Bild zu finden, bietet sich die Aufgabe als Hausaufgabe an. Die Texte werden im Kursraum aufgehängt. Die Bilder werden gemischt und neu verteilt. Jeder TN sucht den passenden Text zu dem Bild, das er bekommen hat, und hängt es dazu. Wenn alle Bilder hängen, prüfen die TN, ob ihr Text und ihr Bild tatsächlich zusammenhängen. Falls nicht, entscheiden sie, ob das „neue" Bild möglicherweise auch passt und warum. Moodle-Tipp: Diese Aufgabe lässt sich auch gut auf der Lernplattform machen. Die TN nennen ihr schönstes deutsches Wort im Glossar und schreiben eine Begründung dazu. Wenn möglich, laden sie auch ein Foto hoch.		
7	GA/ PL	a Stellen Sie zunächst das Verständnis der Wörter im Auswahlkasten sicher. Die TN unterhalten sich in Kleingruppen oder im Plenum darüber, wie die Sprachen ihrer Meinung oder Vermutung nach klingen. Dann hören sie die Beispiele und vergleichen mit ihrem Eindruck. Extra: In Kursen mit TN aus verschiedenen Ländern können die TN ihre Muttersprache in einem kleinen Redebeitrag „hören lassen". Die anderen beschreiben, wie sie in ihren Ohren klingt. Zusätzlich stellen die TN ihr Lieblingswort aus ihrer Muttersprache vor und erklären, was es bedeutet.	CD 2.03	
	GA/ PL	b In Kleingruppen oder im Plenum erzählen die TN, welche Sprachen sie gern noch lernen würden und warum. Moodle-Tipp: Diese Aufgabe kann auch im Forum bearbeitet werden.		

	FORM	ABLAUF	MATERIAL	ZEIT
1	EA/ PA, PL, PA	Extra: Für einen alternativen Einstieg bringen Sie bunt eingepackte Päckchen mit. Verwenden Sie möglichst verschiedene Einpackpapiere, z.B. Weihnachtspapier, Osterpapier, Papier für Kinder, neutrales Papier usw. Verteilen Sie die Päckchen oder legen Sie sie im Kursraum aus. Die TN notieren allein oder zu zweit, was ihnen dazu einfällt. Das können kleine Geschichten sein oder einfach Stichworte rund ums Schenken oder die TN überlegen, was in den Päckchen wohl ist, für wen es bestimmt ist und zu welcher Gelegenheit es verschenkt wird. Sammeln Sie dann im Kurs, was man mit einem Päckchen machen kann, um den Wortschatz zu aktivieren, z.B. *einpacken, auspacken, Papier aussuchen* usw. Die TN unterhalten sich zu zweit über das Foto. Geben Sie dazu die Fragewörter *Wer, Was, Wann, Wo, Warum* an der Tafel vor. Die Paare überlegen sich dazu möglichst genaue Angaben. Einige Paare berichten exemplarisch. Zusätzlich können die TN erzählen, wann sie zuletzt ein Geschenk bekommen haben, was es war und von wem, und/oder wann sie zuletzt etwas verschenkt haben, was und an wen.	Päckchen in Geschenkpapier	
2	PL	Die TN sammeln die Wörter (mit Artikel und Plural) zu allem, was im Einstiegsfoto auf dem Tisch liegt. Notieren Sie die Wörter an der Tafel. Dann lesen die TN die Aufgabe, klären Sie bei Bedarf weitere Wörter. Die TN hören das Gespräch so oft wie nötig und kreuzen an. Anschließend Kontrolle. *Lösung*: a Mütze, Schal, Handschuhe, Stofftier, Musikinstrument, Auto, Schokolade, Karte, Bonbons, Foto; b einen Jungen; c Osteuropa; d für Weihnachten Fragen Sie, warum die beiden einem Jungen aus Osteuropa ein Päckchen schicken. Was vermuten die TN? Moodle-Tipp: Die TN machen eine Mindmap zum Thema „Geschenke" (Anlässe, zu Beschenkende, Wünsche ...).	CD 2.04	
3	EA, PL	a Extra: Wenn Sie das Überfliegen von Texten trainieren möchten und den TN Zutrauen in diese Technik vermitteln möchten, verteilen Sie die Kopiervorlage. Sie zeigt Fragmente des Textes. Trotzdem werden die TN die wesentlichen Informationen verstehen. Sie „lesen" den Text und kreuzen an. Fragen Sie die TN anschließend, was sie noch über das Projekt erfahren haben. Tipp: Oft haben die TN wenig Zutrauen in ihre Lesekompetenz bzw. meinen, gerade in der Fremdsprache jedes Wort verstehen zu müssen. Natürlich gibt es in jedem Text Nuancen, die ein genaues Lesen erfordern, aber nur, wenn der Text tatsächlich von Interesse ist. Das Überfliegen ermöglicht diese Entscheidung. Wenn Sie auch später das Überfliegen üben möchten, können die TN Papierschnipsel reißen oder schneiden und diese willkürlich auf dem Lesetext verteilen. Auch dann ist es in der Regel möglich, sich grob über das Thema zu informieren.	KV L14|3a	

		Die TN lesen die Aufgabe, überfliegen den Zeitungsartikel und kreuzen an. Anschließend Kontrolle. *Lösung:* 1 Geschenke an arme Kinder in Osteuropa und Asien; 2 großen		
	EA/ PA, PL	b Die TN lesen den Artikel noch einmal. Allein oder zu zweit schreiben sie passende Fragen zu den Antworten. Anschließend stellen die TN ihre Fragen in beliebiger Reihenfolge einem anderen / einem zweiten Paar, das nach der passenden Antwort sucht. Dann wird getauscht. Anschließend Kontrolle. *Lösungsvorschlag:* 1 Was ist das schönste Fest im Jahr? 2 Wer packt die Päckchen? 3 Wer bekommt die Päckchen? 5 Seit wann gibt es die Aktion? 6 Wie viele Päckchen hat man 1990 verteilt? 7 Wie viele Kinder haben im letzten Jahr ein Päckchen bekommen? Die TN sagen, wie sie diese Aktion finden und ob sie mitmachen würden. Warum (nicht)? Wenn ja, was würden sie in den Schuhkarton packen? Kennen sie ähnliche Projekte? Welche Projekte zum Thema *Freude/ Hoffnung schenken* könnten sie sich vorstellen?		
4	PA, PL, EA	a Extra: Die TN suchen sich zu zweit drei Nomen aus dem Bildlexikon aus und notieren dazu möglichst viele passende Verben, bei Bedarf auch mithilfe des Wörterbuchs. Anschließend stellen die Paare ihre Ergebnisse im Plenum vor. Paare, die das gleiche Bild bearbeitet haben, ergänzen. Die TN lesen die Gebrauchsanweisung, dann hören sie die Geräusche und ordnen sie der Gebrauchsanweisung zu. Anschließend Kontrolle. Alternativ schreiben Sie *das Päckchen packen, das Etikett aufkleben, den Karton verschließen, den Karton bekleben* an die Tafel. Zeigen Sie das Packen des Päckchens pantomimisch mithilfe der mitgebrachten Utensilien und fragen Sie, welche der Begriffe an der Tafel jeweils passen. Erst dann lesen und hören die TN. *Lösung:* A 3; B 2; C 4; D 1	Wörterbuch, CD 2.05, ggf. Verpackungsutensilien (Klebeband, Schere, Karton usw.)	
	PL, EA, PA	b Schreiben Sie das erste Passiv-Beispiel aus der Gebrauchsanweisung an die Tafel und heben Sie das Subjekt und die Verbform hervor. Mit dem Passiv wird der Schwerpunkt auf das gelegt, was geschieht. Die handelnde Person ist nicht wichtig. Das Passiv wird gebildet aus *werden* auf Position 2 und dem Partizip Perfekt, das am Ende steht. Das Partizip Perfekt kennen die TN bereits. Schreiben Sie zur Erinnerung die Konjugation von *werden* an die Tafel. Die TN unterstreichen die weiteren Passivsätze in der Gebrauchsanweisung und sprechen zu zweit nach dem Muster im Buch. **Passiv:** Zuerst wird der Karton beklebt. (der Karton: Nominativ; wird: Pos. II, werden; beklebt: Ende, Partizip Perfekt) **Aktiv:** Sarah beklebt den Karton. (Sarah: Nominativ; den Karton: Akkusativ)	ggf. CD 2.05	

		Fragen Sie die TN nun, was in Geräusch A aus Aufgabe a gemacht wird. Die TN antworten im Passiv. Spielen Sie dazu ggf. die Geräusche noch einmal vor. Um das Passiv weiter zu üben, fragen Sie die TN, was im Kursraum oder in der Sprachschule alles gemacht wird. Nutzen Sie passende Beispiele, z.B. *schreiben*, um zu erklären, dass ein Passivsatz ohne Subjekt das Ersatz-Subjekt *es* erhält: *Es wird geschrieben.* Hier weiß man weder, wer schreibt, noch, was geschrieben wird. Auch andere Beispiele aus der Gebrauchsanweisung können mit *es* gebildet werden: *Es wird zuerst der Karton beklebt. Es* kann nur an erster Stelle stehen. Steht ein anderes Wort an erster Stelle, fällt *es* weg: *Der Karton wird zuerst beklebt. – Zuerst wird der Karton beklebt.* Dann schreiben die TN allein oder zu zweit auf, was zu Hause für den Kurs gemacht wird. Geben Sie ein Beispiel: *Zu Hause werden die Texte noch einmal gelesen.* Moodle-Tipp: Wenn Sie mit einer Lernplattform arbeiten, können die TN ihre Sätze im Forum einstellen und sich gegenseitig korrigieren.		
5	PL, PA, GA	Wiederholung: Sichern Sie den Lernerfolg, indem Sie Übungen vorentlasten. Wiederholen Sie an dieser Stelle das Partizip Perfekt einiger Verben und mischen Sie darunter die, die für die Aufgabe im Buch gebraucht werden. Diktieren Sie beispielsweise die Infinitive, die TN notieren das Partizip. Oder bereiten Sie Zettel mit den möglichen Partizip-Formen vor (*ge…t*, *ge…t* usw.) und hängen Sie sie auf. Nennen Sie einen Infinitiv, die TN laufen zum richtigen Plakat. In der anschließenden Kursbuchaufgabe können die TN sich dann ganz auf das Passiv konzentrieren. Die TN schlagen die Aktionsseiten auf. Bei dieser Aufgabe arbeiten die TN in Partnerarbeit, aber auf verschiedenen Seiten im Buch. Das heißt: Die Partner haben unterschiedliche Informationen. Sie erfragen die fehlenden Informationen bei ihrer Partnerin / ihrem Partner und notieren die Antworten. Um den TN das Prinzip zu verdeutlichen, machen Sie zuerst einige Beispiele im Plenum. Schnelle TN überlegen sich, was noch zwischen den angegebenen Schritten gemacht wird, z.B. *Papier kaufen und schneiden, Kugelschreiber holen* usw. Die TN sind hier oft sehr findig und es ist ein gutes Vokabeltraining. Im Plenum lesen sie die Sätze vor, die anderen raten, zwischen welchen Schritten das gemacht wird. Anschließend Kontrolle zunächst mit einem anderen Paar, dann im Plenum. *Lösung:* 2 Der Absender und der Empfänger werden ergänzt. 3 Das Paket wird zur Post gebracht. 4 Am Schalter wird das Paket gewogen. / Das Paket wird am Schalter gewogen. 5 Das Porto wird bezahlt. 6 Das Paket wird transportiert. 7 Das Paket wird zum Empfänger gebracht. 8 Das Paket wird geöffnet.	Plakate, KV L14|5	

<table>
<tr><td></td><td></td><td>Extra: Verteilen Sie je einen Satz Karten der Kopiervorlage an Kleingruppen. Die Kleingruppen mischen die Karten und legen sie verdeckt auf den Tisch. Jeder TN hat einen Zettel und einen Stift vor sich liegen. Ein TN deckt ein Kärtchen auf. Was wird hier gemacht? Jeder schreibt einen Satz zum Thema, z.B. Silvester: An Silvester wird Sekt getrunken. Oder: Hier wird Sekt getrunken. Die TN lesen ihre Sätze reihum vor. Wenn Sie ein Wettspiel daraus machen wollen, kann für jeden korrekten Satz ein Punkt vergeben werden. TN, die ein Beispiel gefunden haben, das niemand sonst hat, bekommen einen Extra-Punkt.

Moodle-Tipps: Geben Sie ein Fest vor, das in nächster Zeit stattfindet, und stellen Sie folgende Wiki-Aufgabe: Sie bereiten das Fest vor. Was wird vor dem Fest alles gemacht? Die TN antworten jeder mit einem Passiv-Satz: Zuerst wird die Wohnung sauber gemacht. Außerdem kann Übung 8 aus dem Arbeitsbuch auf die Lernplattform verlagert werden: Jeder TN denkt sich einen Ort aus und schreibt Sätze über diesen Ort mit möglichst viel Passiv. Die anderen raten.</td><td></td><td></td></tr>
<tr><td>6</td><td>EA</td><td>a Jeder TN erhält eine Karteikarte. Er wählt eine Person aus dem Kurs und notiert auf der Karteikarte drei Geschenke für diese Person. Je persönlicher diese Geschenke sind, desto spannender ist das spätere Raten. Wenn Sie gewährleisten wollen, dass für jeden TN eine Karte geschrieben wird, bereiten Sie die Karteikarten vor, indem Sie jeden Namen auf eine Karte schreiben. Dann verteilen Sie die Karten. Jeder TN notiert Geschenke für die Person, die auf seiner Karte steht. Anschließend werden die Karten eingesammelt.

Alternativ verteilen Sie die Kopiervorlage an die TN. Jeder TN schreibt seinen Namen auf einen kleinen Zettel. Die Zettel werden eingesammelt und neu verteilt, sodass jeder TN eine Person bekommt, die er beschenken soll. Die TN füllen zunächst den Paketschein für sich als Absender aus. Dann erfragen sie die Adresse ihrer Geschenkpartnerin / ihres Geschenkpartners und tragen den Empfänger ein. Auf der Rückseite des Paketscheins notieren sie die drei Geschenke. Die Scheine werden eingesammelt.</td><td>Karteikarten oder KV L14|6a</td><td></td></tr>
<tr><td></td><td>PL</td><td>b Mischen Sie die Karteikarten bzw. die Paketscheine und verteilen Sie sie. Ein TN liest die Geschenke auf seiner Karte bzw. seinem Paketschein vor, die anderen raten nach dem Muster im Buch, für wen diese sein könnten. Regen Sie die TN dazu an, ihre Entscheidung zu begründen. Wenn nötig, wiederholen Sie vorher kurz die Konjunktionen weil, denn und deshalb. Sobald eine Beschenkte / ein Beschenkter erraten worden ist, darf diese/dieser sich kurz zu den Geschenken äußern, z.B. darüber, ob sie ihm gefallen würden oder ob sie überhaupt zu ihm passen. Eine neue Raterunde beginnt.</td><td></td><td></td></tr>
</table>

7	PL, EA	a Extra: Die Bücher sind geschlossen. Zeigen Sie die Geschenknotizen aus 6a (Folie/IWB). Schreiben Sie mit den TN zusammen einen Dankesbrief oder eine E-Mail an Tessa. Die TN lesen den Brief im Buch (und vergleichen mit dem gemeinsam erarbeiteten Text). Sie markieren im Brief (und im Text des Kurses), welche Sätze Freude ausdrücken. Anschließend Kontrolle. Fallen den TN weitere Ausdrücke für Freude ein? Halten Sie diese ebenfalls an der Tafel fest. *Lösung:* Schön, dass Du an mich gedacht hast. / Ich liebe ... / ist super. / ... eine tolle Idee. / Ich freue mich schon sehr auf ...	Notizzettel aus 6a auf Folie/ IWB	
	EA, PL	b Die TN lesen den Kommunikationskasten und markieren die Formulierungen, die noch nicht zur Sprache gekommen sind. Wiederholen Sie bei Bedarf die Wortstellung von *dass*-Sätzen. Dann machen die TN sich Notizen zu den Fragen und schreiben einen Dankesbrief für ihre Geschenke aus 6. Verteilen Sie Briefumschläge. Die TN beschriften die Umschläge mit Absender und Empfänger. Eine gute Gelegenheit, das Diktieren und Buchstabieren einer Anschrift zu wiederholen, denn im Allgemeinen werden die TN die Adresse des Empfängers bei diesem erst erfragen müssen (vgl. Aufgabe 6a)! Die Dankesbriefe werden an die Empfänger verteilt. Nachdem die Empfänger Gelegenheit hatten, ihren Brief zu lesen, sammeln Sie alle Briefe ein und korrigieren Sie sie. Besprechen Sie in der nächsten Unterrichtsstunde die häufigsten Fehler. Tipp: Hier bietet es sich an, einen neuen Brief mit den häufigsten Fehlern der TN zu formulieren. Achten Sie dabei darauf, dass Sie nur Fehler aufnehmen, die die TN auch selbst korrigieren können, die also ihrem Lernstand entsprechen. Kopieren Sie den Brief. Zu zweit markieren, besprechen und korrigieren die TN die Fehler. Besprechen Sie dann den Brief satzweise im Plenum. Moodle-Tipp: Text mit Korrektur: Die TN schreiben zu folgender Aufgabenstellung eine E-Mail ins Textfeld: *Sie haben zu Weihnachten von Ihrer deutschen Freundin Elsa ein Päckchen bekommen. Schreiben Sie eine E-Mail und bedanken Sie sich. Schreiben Sie zu folgenden Punkten: Dank, Geschenk, Einladung in Ihr Land.* Der Text wird automatisch korrigiert.	Briefumschläge	

FORM	ABLAUF	MATERIAL	ZEIT
1 PA, PL	a Die TN sehen sich das Foto an und sprechen zu zweit darüber. Wenn nötig, geben Sie Fragen vor (*Wer sind die Personen? Was machen sie? Wo sind sie? Wann könnte das sein? Würden Sie den Film gern sehen?*). Die TN hören das Gespräch. Stellen Sie anschließend Zusatzfragen zum Verständnis (*Wer möchte Chips? Warum denkt die Frau, dass keine Chips im Haus sind?* usw.). Extra: Bringen Sie zusätzlich einige Requisiten mit, z.B. eine Chipstüte, eine Schale, eine Getränkeflasche, Gläser. Freiwillige TN spielen den Dialog nach. Gerade für lernungewohnte TN ist das Nachspielen solcher einfachen Szenen ein gutes Training. Sie haben durch das Hören schon ein Muster im Ohr und müssen nicht alles selbst formulieren. Korrigieren Sie nicht in die Szene hinein, lassen Sie die TN am besten frei agieren und besprechen Sie nur schwerwiegende Fehler, die zum Scheitern der Kommunikation führen. Für lerngewohnte TN kann die Situation abgewandelt werden, z.B. *Es ist nichts im Haus.* Oder: *Der Film fällt wegen einer wichtigen Informationssendung aus.* Oder: *Der Fernseher ist kaputt.* Je nachdem, wie spontan die TN sind, spielen sie die Dialoge frei oder Sie geben ihnen Zeit, diese zu zweit vorzubereiten.	CD 2.06, Requisiten für einen Fernseh-abend	
GA/ PL	b In Kleingruppen oder im Plenum erzählen die TN, ob sie gern Krimis lesen oder sehen. Extra: Die TN stehen in der Mitte des Kursraums. Erklären Sie eine Ecke des Raums zur *Ja*-Ecke, eine zur *Nein*-Ecke und eine dritte zur *Weiß-nicht*-Ecke. Stellen Sie den TN eine Frage zu ihrem Fernsehkonsum und ihrem Verhalten beim Fernsehen: *Sehen Sie viel fern?* Die TN laufen in die entsprechende Ecke. Nun stellt ein TN aus der *Ja*-Ecke einem TN aus der *Nein*-Ecke eine zum Thema passende Frage mit Fragewort, z.B.: *Warum sehen Sie nicht viel fern?* Dann fragt ein TN aus der *Weiß-nicht*-Ecke einen aus der *Ja*-Ecke usw., bis jede Gruppe einmal gefragt hat. Das Spiel kann mehrere Durchgänge haben mit immer neuen Fragen: – Sehen Sie viel fern? – Machen Sie es sich gemütlich? – Essen Sie etwas? Trinken Sie etwas? – Sehen Sie allein fern? – Machen Sie beim Fernsehen noch etwas anderes? – … Bitten Sie die TN, ihrerseits Fragen zu stellen, die sie interessieren. Moodle-Tipp: Die Aufgabe kann alternativ oder zusätzlich im Forum bearbeitet werden. Die TN schreiben einen Beitrag darüber, ob sie gern Krimis sehen und welche Kriminalfilme es in ihrem Land gibt.		

2	EA, PL, PA	Die TN sehen sich das Fernsehprogramm an und ergänzen mithilfe des Bildlexikons. Anschließend Kontrolle. *Lösung:* Darsteller, Regisseur Fragen Sie die TN, welche der Sendungen sie interessieren würde. Erklären Sie den Unterschied zwischen Privatsendern und öffentlich-rechtlichen Sendern (hier: ARD, ZDF und NDR). Regen Sie zu einem Vergleich mit dem Heimatland / den Heimatländern der TN an. Landeskunde: In Deutschland gibt es öffentlich-rechtliche Radio- und Fernsehsender, die hauptsächlich über Gebühren, die Privathaushalte und Firmen bezahlen müssen, finanziert werden. Dazu gehören ARD (mit ihren regionalen Sendern) und ZDF. Andere Sender wie RTL, SAT.1, Kabel eins sind privat und werden vorwiegend über Werbung und kostenpflichtige Zuschaueranrufe u.Ä. finanziert. Extra: Bringen Sie ein Fernsehprogramm mit. Sprechen Sie über die verschiedenen TV-Formate, z.B. Komödie, Nachrichten, Dokumentation, Sportschau, Talkshow, Fantasyfilm usw. Diese Wörter sind auch für Aufgabe 5c nützlich, wo die TN über ihre persönlichen Fernsehgewohnheiten und -vorlieben sprechen sollen. Die TN unterhalten sich zu zweit über das Fernsehprogramm. Geben Sie ein Dialoggerüst an der Tafel vor. Wiederholen Sie, wenn nötig, die Uhrzeiten. + (Ich möchte heute eine Komödie sehen.) Kommt heute eine Komödie? * Ich weiß nicht. Mal sehen. Nein, heute kommt keine Komödie. / Ja, um Viertel vor acht läuft Frühstück bei Tiffany. + Schade. / Toll, wo denn? * Finde ich auch. / Auf RTL.	TV-Programm (Internet, Fernsehzeitschrift, Tageszeitung)	
3	EA, PL	a Erklären Sie den Begriff *Tatort* (Ort eines Verbrechens). Die TN überfliegen den Text und ordnen die Fragen den Abschnitten zu. Begrenzen Sie die Lesezeit, damit die TN nicht anfangen, genau zu lesen. Der Text enthält einiges an neuem Vokabular. Dennoch ist die Aufgabe mit Überfliegen lösbar. Anschließend Kontrolle. Kopieren Sie alternativ die Kopiervorlage und schneiden Sie die Textteile auseinander. Sie brauchen von jedem Textteil so viele, wie Sie TN haben. Die TN stehen sich zu zweit gegenüber, am besten in einem Außen- und einem Innenkreis. Schreiben Sie die drei Fragen aus dem Buch an die Tafel. Verteilen Sie dann den Textteil A. Auf Ihr Kommando überfliegen die TN den Text. Rufen Sie nach kurzer Zeit *Stopp*. Die TN legen den Text weg und überlegen mit dem gegenüberstehenden TN, welche Frage zum Textteil passt. Dann Vergleich im Plenum. Notieren Sie den Buchstaben hinter der Frage. Dann dreht sich der Außenkreis um einen TN weiter nach rechts. Die TN erhalten Textteil B. Verfahren Sie ebenso mit C. *Lösung:* 1 C; 2 B; 3 A	KV L15|3a	

	EA, PL, PA, GA	b Die TN lesen den Text noch einmal genau und korrigieren die Sätze. Anschließend Kontrolle und Klärung von Wortschatzfragen. *Lösung:* 2 ~~Samstag~~ Sonntag; 3 ~~in Gaststätten~~ im Internet: in der Mediathek; 4 ~~nur in einer Gegend~~ in verschiedenen Städten und Regionen; 5 ~~denselben~~ anderen; 6 ~~private Sender~~ keine privaten Sender/öffentlich-rechtliche Sender; 7 ~~Woche~~ Monat Ergänzend schreiben die TN in Partnerarbeit zwei weitere Sätze wie in der Aufgabe und tauschen sie mit einem anderen Paar. Anschließend Kontrolle in Vierergruppen. Extra: Die TN schließen die Bücher. Sie machen sich Notizen dazu, was sie über den *Tatort* behalten haben. Anschließend sprechen sie zu zweit darüber. Schnelle TN können einen kurzen zusammenfassenden Text über den *Tatort* schreiben. Alternativ stellen sich die TN noch einmal in einem Innen- und einem Außenkreis auf und nehmen Textteil A der Kopiervorlage zu 3a zur Hand. Diesmal sollen sie intensiv lesen. Bei Stopp legen alle den Text zur Seite und sprechen mit dem Gegenüber über das Gelesene oder stellen sich gegenseitig eine Frage zum Text. Dann dreht sich der Außenkreis nach rechts weiter und die TN lesen Textteil B intensiv. Genauso mit Textteil C. Die TN überlegen, welche Sendung in ihrem Land erfolgreich ist, und diskutieren darüber. Hat der Kurs eine sehr kontroverse Meinung darüber, kann schließlich abgestimmt werden, welche der Sendungen die erfolgreichste/wichtigste/... ist. In Kursen mit Teilnehmern aus verschiedenen Ländern erzählen die TN, welche Sendung in ihrem Land so alt und erfolgreich wie der *Tatort* ist und ob sie diese Sendung geguckt haben.	KV L15|3a	
4	PL, EA, ggf. GA, PA	a Wiederholen Sie anhand einiger Beispiele den Akkusativ und den Dativ in ihrer Funktion als Objekt z.B. *Ich kaufe oft DVDs.* Halten Sie die Beispiele an der Tafel fest und markieren Sie die Objekte farbig. Verwenden Sie am besten analog zum Buch Grün für den Dativ und Rot für den Akkusativ. Die TN lesen die Tabelle im Buch und markieren in den Sätzen den Dativ grün und den Akkusativ rot. Anschließend Kontrolle, wobei Sie die Sätze wie in der Tabelle an die Tafel schreiben sollten. Erklären Sie, dass bei einigen Verben zwei Objekte möglich sind. Die Person steht dann im Dativ und die Sache im Akkusativ. Das Dativobjekt steht vor dem Akkusativobjekt. Bitten Sie die TN um eigene Beispiele zu den Verben im Grammatikkasten und tragen Sie die Vorschläge in die Tabelle ein. *Lösung:* (siehe Tabelle unten)	farbiges Papier, dicke Filzstifte, KV L15|4a, Münzen	

Lösung:

		Wem (Person)?		Was (Sache)?
2	Er schenkt	seinem Bruder		eine DVD.
3	Der Tatort gibt	den Zuschauern		Abwechslung.
	Die Kinder schenken	den Eltern	zum Hochzeitstag	Theaterkarten.
	...			

	Verteilen Sie blaues (Subjekt), rotes (Akkusativobjekt), grünes (Dativobjekt) und weißes (alle anderen Satzglieder) Papier. Die TN üben mit „lebenden Sätzen“: Ein TN nennt ein konjugiertes Verb, schreibt es auf einen weißen Zettel und stellt sich damit vor den Kurs. Ein zweiter TN schreibt ein passendes Subjekt und stellt sich neben den ersten TN. Halten Sie dann einen grünen Zettel für ein Akkusativobjekt hoch. Ein TN schreibt und stellt sich richtig auf. Als Nächstes einen roten Zettel für das Dativobjekt usw. Animieren Sie die TN, immer längere Sätze zu bauen, indem Sie fragen, wann das gemacht wird, wo, wie usw. Diese Übung kann in Kleingruppen fortgesetzt werden: Die Gruppen schreiben weitere Beispiele und stellen sich vor dem Kurs auf. Der ganze Kurs ist aufgefordert, Fehler zu finden und zu korrigieren. Extra: Die TN spielen zu zweit das Satzbauspiel. Jedes Paar erhält einen Spielplan (Kopiervorlage) sowie je zwölf Verbkarten, die so abgelegt werden, dass der andere sie nicht sehen kann (z.B. in oder unter das Buch). Jeder braucht zwei gleiche Münzen. Das Spiel beginnt, indem beide TN zunächst ein Verb aus ihrem Vorrat aussuchen und es verdeckt vor sich legen. Sie setzen ihre zwei Münzen auf ein Feld mit einer Sache (weiße Felder) und auf ein Feld mit einer Person (farbige Felder). Dann bilden sie mit den Wörtern, die sie mit ihren Münzen belegt haben, und ihrem Verb einen Satz. Er sollte immer mit *Ich* oder immer mit demselben Namen (z.B. *Bert*) beginnen. Beispiel: A hat das Verb *erzählen* gewählt und die Felder *du* und *die Geschichte* belegt: *Ich erzähle dir eine Geschichte. / Bert erzählt dir eine Geschichte.* B hat das Verb *schenken* gewählt und die Felder *meine Freunde* und *der Krimi* belegt: *Ich schenke meinen Freunden einen Krimi. / Bert schenkt meinen Freunden einen Krimi.* Verwendete Verben werden beiseitegelegt und die Münzen wieder entfernt. Eine neue Runde beginnt.		
EA, PL, PA, GA	b Die TN lesen die Sätze, markieren Akkusativ und Dativ und ergänzen die Pfeile. Anschließend Kontrolle. *Lösung:* 2 Sie können Ihren Freunden auch Tatortsendungen kaufen und sie ihnen als DVD schenken. Erklären Sie den TN anhand des Grammatikkastens, dass das Dativ- und das Akkusativobjekt ihre Position tauschen, wenn beide Pronomen sind. Verdeutlichen Sie das mit Farben und Pfeilen wie im Buch, indem Sie die Beispiele, die sie in a an der Tafel gesammelt haben, mit Pronomen schreiben. Sie können ihren Freunden auch Tatortsendungen kaufen. Sie können sie ihnen kaufen. Er schenkt seinem Bruder eine DVD. Er schenkt sie ihm.	Beispiele und „lebende Sätze“ aus a	

		Verteilen Sie noch einmal die „lebenden Sätze“, welche die TN in a gebildet haben. Die TN stellen sich noch einmal auf. Dann wird zuerst das Dativobjekt durch ein Pronomen ersetzt – die Satzstellung ändert sich nicht! Die TN ersetzen auch das Akkusativobjekt durch ein Pronomen und tauschen entsprechend die Plätze. Ergänzend schreiben die TN zu zweit vier weitere Beispiele, jeweils zuerst mit Nomen, dann mit den entsprechenden Pronomen. In Vierergruppen lesen sich die Paare ihre Sätze mit den Nomen vor, das andere Paar formuliert den Satz mit Pronomen. Alternativ oder zusätzlich schreiben die TN zwei Sätze. Ein TN liest seinen Satz vor. Wenn es ein Satz mit Nomen ist, schreiben die anderen den Satz mit Pronomen ins Heft. Wenn es ein Satz mit Pronomen ist, müssen auch die Nomen genannt werden, allerdings ohne Artikel. Die anderen schreiben den Satz mit den Nomen ins Heft. Anschließend wird der Satz zur Kontrolle vorgelesen.		
	GA	c Die TN schlagen die Aktionsseite auf. Jede Kleingruppe erhält zwei Würfel. Die TN spielen nach dem Muster im Buch. Moodle-Tipp: Im Wiki antworten die TN auf die Frage *Wem schenken Sie was wann?* Jeder schreibt mindestens zwei Sätze.	Würfel	
5	EA, PL, PA	a Die TN lesen die Sätze und hören dann die Statements. Sie markieren, welche Sätze sie hören. Anschließend Kontrolle. *Lösung:* 1, 3, 4, 5, 7, 9, 11, 12 Mit geschlossenen Augen hören die TN die Statements noch einmal. Dann lesen sie die markierten Sätze im Buch und hören sie „im Inneren nach“. Zu zweit üben sie, die Sätze flüssig und mit guter Betonung zu sprechen. Dazu können die Transkriptionen der Statements ausgeteilt werden. Sprechen Sie auch über die Sätze, die in den Statements nicht vorkommen. Die TN machen Vorschläge zur Intonation.	CD 2.07, Transkription des Hörtextes	
	EA, PL	b Die TN sortieren, zu welchen Fragen die Sätze aus a passen. Anschließend Kontrolle. Alternativ kopieren Sie die Kopiervorlage einmal, schneiden Sie die Sätze aus und verteilen Sie sie. Ein TN ohne Satz stellt eine der Fragen aus b. TN, die glauben, dass ihr Satz dazu passt, melden sich und lesen ihre Antwort vor. Die anderen überlegen, ob er wirklich passt. Wenn ja, notiert ein TN, der als „Schreiber“ bestimmt wird, die Nummer hinter der Frage usw. Im Anschluss lösen die TN die Aufgabe noch einmal in Stillarbeit im Buch, während der „Schreiber“ das Ergebnis aus der gemeinsamen Arbeit an die Tafel schreibt. Anschließend Kontrolle. *Lösung:* Was sehen Sie gern im Fernsehen?: (5), 9, 10 Haben Sie eine Lieblingssendung/Lieblingsserie?: 1, 6, 9, 10 Wo, wann und mit wem sehen Sie sie?: 2, 3, 7, 8, 11, 12 Haben Sie bestimmte Gewohnheiten?: 3, 4, 5, 7, 8, 11, 12	KV L15|5b	

	EA, GA/ PL	c Die TN machen sich Notizen zu den Fragen aus b. Erinnern Sie an die gesammelten Wörter aus Aufgabe 2 (*Nachrichten, Komödie* usw.). Anschließend erzählen sie in Kleingruppen oder im Plenum über ihre Fernsehgewohnheiten. Weisen Sie auf die Kommunikationsmittel „über Fernsehgewohnheiten sprechen" am Ende der Lektion hin. Die TN sollten versuchen, diese aktiv zu benutzen. Zusätzlich oder alternativ schreiben sie als Hausaufgabe einen kurzen Text über ihre Fernsehgewohnheiten. Moodle-Tipp: Der Text kann auch auf der Lernplattform geschrieben werden. Er wird dann mit der automatischen Korrekturfunktion korrigiert. Extra: Für einen weiteren Redeanlass geben Sie berühmte Filme vor, die wahrscheinlich die meisten TN kennen, z.B. *Titanic, James Bond, Harry Potter* usw. Die TN sprechen in Kleingruppen darüber, ob sie den Film gesehen haben, wann, wo, mit wem. Hat er ihnen gefallen? Warum (nicht)?		
6	PL, EA	a Die TN sehen sich das Beispiel an. Klären Sie unbekannte Wörter und lassen Sie das Beispiel verbalisieren (*Die Person ist knapp 2 Stunden pro Tag im Internet. ...*). Dann ergänzen die TN die Tabelle für sich.		
	PA, PL	b Die TN sprechen zu zweit über ihr Medienverhalten: über Unterschiede und Gemeinsamkeiten. Am Ende kann eine Kursstatistik über die meistgenutzten Medien erstellt werden. Lassen Sie abstimmen oder verteilen Sie je drei Klebepunkte, welche die TN auf ein vorbereitetes Plakat zu „ihren" Medien kleben. Es können alle drei Punkte für ein Medium vergeben werden oder die Punkte auf die Lieblingsmedien aufgeteilt werden. Welches Medium hat die allermeisten Punkte erhalten? Moodle-Tipp: Die Aufgabe kann ins Forum verlagert werden. Die TN schreiben über ihr Medienverhalten. Schreiben Sie abschließend einen zusammenfassenden Kommentar über den Kurs (z.B. *Alle im Kurs haben ein Smartphone und nutzen es häufig. ...*)	ggf. Klebepunkte, Plakat mit Medien	

Lesemagazin

	FORM	ABLAUF	MATERIAL	ZEIT
1	EA, GA/ PL	Die Bücher sind geschlossen. Die TN überlegen zwei Minuten lang, was sie regelmäßig mit dem Handy/Smartphone und im Internet machen, und notieren Stichwörter dazu. Sie erzählen in Kleingruppen oder im Plenum über ihre Aktivitäten. Anschließend lesen sie den Text und markieren die zu den Fragen passenden Aussagen farbig. Anschließend Kontrolle, indem Sie den Text (Folie/IWB) präsentieren und die TN darauf markieren lassen. *Lösungsvorschlag:* gelb: Zeile 10, 26, 35, 45, 54; grün: 11–13; 20–23, 27, 36, 47; blau: 31, 33–34, (47–49), 54, 57–58; rot: 19, 23, 41–42, 49/50, 57 Diskutieren Sie mit den TN die These in Zeile 6: *Das Internet macht süchtig.* Was denken die TN darüber? Was zeigt Daniels Selbstversuch?	Text auf Folie/IWB	
2	GA	In Kleingruppen besprechen die TN, wie sie zu einer internetfreien Woche stehen. Anhand ihrer Notizen aus 1 überlegen sie auch, was sie ohne Internet nicht mehr machen könnten und wie sie das Problem lösen würden. Welche Alternativen gibt es? Vielleicht hat jemand Lust, die internetfreie Woche auszuprobieren und einen Erfahrungsbericht darüber zu schreiben. Dieser kann dann im Kurs vorgelesen werden oder, wenn sie mit einer Lernplattform (Moodle) arbeiten, für alle zur Ansicht eingestellt werden.		

Film-Stationen

	FORM	ABLAUF	MATERIAL	ZEIT
1	PL	a Die TN sehen den Anfang des Films (bis 0:50) und kreuzen an, was Lena kocht. Anschließend Kontrolle. *Lösung:* Labskaus	Clip 5	
	PL	b Die TN sehen den Film weiter und notieren die Zutaten, die Lena noch braucht. Anschließend Kontrolle. *Lösung:* Kartoffeln, Fleisch, Rote Bete, Essiggurken Extra: Die TN recherchieren im Internet nach einem Rezept für Labskaus. Wer mag, kocht es nach oder einige TN treffen sich zum gemeinsamen Kochen und Essen und berichten anschließend darüber, ob es leicht zu kochen war und wie es geschmeckt hat. Ein vereinfachtes Rezept bzw. einen Infotext zu Labskaus haben TN, die von Beginn an mit *Menschen* Deutsch gelernt haben, schon im Kursbuch A1 (*Modul 3, Projekt Landeskunde*) gelesen.	Clip 5	

	FORM	ABLAUF	MATERIAL	ZEIT
	EA, PL, GA	c Die TN versuchen aus dem Gedächtnis eine erste Zuordnung, dann sehen sie den Film noch einmal und kontrollieren bzw. ergänzen. Anschließend Kontrolle. *Lösung:* 1 Seefahrer; 2 norddeutsches; 3 Lenas Großvater; 4 Melanies Großvater; 5 Bayern; 6 Weißwürste Die TN sagen, ob sie eins der Gerichte probieren möchten oder sogar schon probiert haben. Sie berichten in Kleingruppen über ihre Großväter: Haben sie auch gekocht? Wenn ja, welche Gerichte, und wie sah die Küche am Ende aus?	Clip 5	
2	EA/ PA, GA/ PL	a Die TN machen allein oder zu zweit Notizen zu den Fragen. Dann sehen sie das Ende des Films (ab 2:08) noch einmal und vergleichen. Anschließend Kontrolle. *Lösung:* 1 Sie fragt, ob das zusammenpasst. 2 Sie findet es lecker. 3 Sie schmecken ganz gut. 4 Man isst sie zum Frühstück, aber Lena findet das nicht so gut. Schmeckt Lena die Weißwurst wirklich? Fragen Sie die TN nach ihrer Meinung. Sie diskutieren in Kleingruppen oder im Plenum darüber, wie sie sich verhalten würden, wenn sie etwas probieren sollen, was ihnen nicht schmeckt. Wem ist so etwas schon einmal passiert?	Clip 5	
	PL, EA	b Die TN erzählen, wann sie zuletzt ein neues Gericht probiert haben. Was war es? Wie hat es geschmeckt? Erweiternd schreiben sie einen Erfahrungsbericht oder ein Meinungsbild zum Thema „Kulturelle Unterschiede beim Essen" und berichten über Situationen, die ihnen widerfahren sind, oder über das interessanteste, unappetitlichste, seltsamste ... Gericht, das sie jemals probieren mussten.		

Projekt Landeskunde

	FORM	ABLAUF	MATERIAL	ZEIT
1	PL, EA	Die TN stellen sich vor, sie wollten einen Deutschkurs in Berlin machen, und sagen, was sie von diesem Kurs erwarten würden. Achten Sie auf kurze Kommentare, es geht nur um einen Einstieg in das Thema. Dann lesen die TN die Internetseite und kreuzen ihre Lösung an. Anschließend Kontrolle. *Lösung:* richtig: a Fragen Sie die TN, ob das Angebot sie anspricht, und wenn ja, was ihnen besonders gefällt.		

	FORM	ABLAUF	MATERIAL	ZEIT
2	GA, PL, EA	Die TN arbeiten in Kleingruppen und entwerfen ihren perfekten Sprachkurs, der eine Woche dauert. Sie erstellen ein Plakat und präsentieren ihre Ideen anschließend im Kurs. Tipp: Lassen Sie nicht alle Gruppen ihr Projekt hintereinander vorstellen, sondern verteilen Sie die Präsentation auf mehrere Kurstage. So bleibt die Aufmerksamkeit der Zuhörer für jede Gruppe erhalten. Extra 1: Die TN schreiben mithilfe des Plakats aus der Gruppenarbeit einen Erlebnisbericht. Dabei stellen sie sich vor, sie hätten wirklich an diesem Kurs teilgenommen. Der Text kann auch in Kleingruppen geschrieben werden. Extra 2: Wenn Sie im Ausland unterrichten und die TN eine Sprachreise nach Deutschland, Österreich oder in die Schweiz vorhaben, suchen diese im Internet nach interessanten Angeboten für Deutschkurse in Berlin, Wien oder Zürich. Interessante Angebote werden ausgedruckt und im Kurs präsentiert. Wenn Sie eine Lernplattform (Moodle) nutzen, können die TN ihre Funde auch dort für alle zugänglich machen.	Plakate	

Ausklang

	FORM	ABLAUF	MATERIAL	ZEIT
1	EA, PL	Die TN sortieren die Strophen, dann hören sie das Lied und vergleichen. Anschließend Kontrolle. *Lösung:* (von oben nach unten, von links nach rechts) 3, 1, 4 Alternativ kopieren Sie die Strophen in der richtigen Reihenfolge und tilgen Sie die Nomen. Schreiben Sie die Nomen in beliebiger Reihenfolge an die Tafel, die TN ergänzen den Artikel. Jeder TN erhält eine Kopie mit dem Lücken-Liedtext. Die TN setzen die Nomen ein. Dann hören sie das Lied und kontrollieren sich selbstständig.	CD 2.08, ggf. Lied als Lückentext	
2	PL, GA	Die TN hören das Lied noch einmal und singen mit. Teilen Sie den Kurs in zwei Gruppen, eine Gruppe singt den Part der Kundin, die andere den des Paketdienstfahrers. Anschließend können die Rollen getauscht werden. Die TN erarbeiten in Kleingruppen anhand des Liedtextes die positiven und negativen Aspekte des Einkaufens im Internet und ergänzen die Liste durch eigene Aspekte. Anschließend werden die Ergebnisse im Plenum zusammengetragen und diskutiert. Zusätzlich überlegen die TN, ob es noch andere berufliche Tätigkeiten gibt, bei denen eine Seite besondere Vorteile hat, die andere Nachteile. (Ein Beispiel wäre hier die Musikindustrie: Für die Hörer wird Musik günstig oder kostenlos im Internet angeboten, für die Musiker ist es dagegen zunehmend schwierig, sich zu finanzieren.)	CD 2.08	

	FORM	ABLAUF	MATERIAL	ZEIT
1	PA, GA, PL	Die TN sehen sich zu zweit das Foto an und sprechen über die Fragen. Wenn die TN für sich die Situation auf dem Foto geklärt haben, schreiben sie je einen Satz mit *erzählen, empfehlen, geben, bringen, holen* zum Bild. Dann schließen sie sich mit einem zweiten Paar zusammen und kontrollieren ihre Sätze. Die Paare stellen sich gegenseitig Fragen zum Bild, allerdings müssen es andere sein, als die in der Aufgabe angegebenen, z.B. *Warum bekommt die Frau einen Schlüssel? Was ist in dem Paket?* usw. Sammeln Sie einige Fragen an der Tafel. Wiederholen Sie anhand der Beispiele den Unterschied von Fragen mit Fragewort und Ja-/Nein-Fragen als Vorbereitung auf die indirekten Fragen, die Thema dieser Lektion sind. Nutzen Sie alternativ die Kopiervorlage. Machen Sie aus dem mittleren Feld des „Platzdeckchens“ zwei Felder und schreiben Sie in das eine Feld „W-Fragen“, in das andere „Ja-/Nein-Fragen“. Verteilen Sie dann die Kopiervorlage auf DIN A3 vergrößert an die Kleingruppen. Die TN sitzen so um das Blatt, dass jeder eine Seite der Kopiervorlage vor sich hat. Sie notieren zunächst jeder für sich in ihrem Feld Fragen zum Kursbuch-Foto. Geben Sie dafür eine Zeit vor, etwa zwei Minuten. Dann besprechen die Kleingruppen ihre Fragen, sortieren sie nach Fragen mit Fragewort und Ja-/Nein-Fragen und schreiben sie in die Mitte der Kopie. Zur Kontrolle stellen und beantworten sie sich die Fragen gegenseitig. Tipp: Die Placemat, englisch für Tischset oder Platzdeckchen, ist eine Methode des Kooperativen Lernens. Sie eignet sich, um das Vorwissen der TN zu aktivieren und zu bündeln. Zunächst arbeitet jeder TN für sich und schreibt nach seinem Vorwissen auf seinem Teil der Placemat, bevor in einem zweiten Schritt mit dem Vorwissen der anderen verglichen und zusammengetragen wird. Im dritten Schritt (Mittelteil der Placemat) bearbeiten die Gruppen gemeinsam einen bestimmten Aspekt (hier Fragen). Je nach Thema kann sich eine Phase der Präsentation von Arbeitsergebnissen im Plenum anschließen.	KV L16|1	
2	PL	Die TN lesen die Sätze. Dann hören sie das Gespräch und ordnen zu. Anschließend Kontrolle. *Lösung:* b … beschwert sich, weil sein Zimmer schmutzig ist. c … möchte eine Unterschrift. d … möchte ein Zimmer reservieren. Fragen Sie die TN, warum am Ende des Gesprächs applaudiert wird, und erklären Sie, dass es sich um ein Rollenspiel in einem Ausbildungsseminar handelt.	CD 2.09	

3	GA, PL	a Extra: Die TN sehen sich das Bildlexikon an. In Kleingruppen schreiben sie zu vier Orten aus dem Bildlexikon je zwei Fragen auf, die ein Gast im Hotel stellen könnte. Es darf maximal einmal das Fragewort *Wo* benutzt werden. Dabei muss das Wort aus dem Bildlexikon nicht unbedingt in der Frage vorkommen, diese kann sich auch nur auf den Ort beziehen, z.B. Restaurant: *Haben Sie auch vegetarische Speisen?* Die Kleingruppen lesen einige ihrer Fragen vor, die anderen raten den Ort, auf den sie sich bezieht. Die TN lesen die Sätze. Klären Sie Vokabelfragen mithilfe des Bildlexikons und erklären Sie *Halbpension*. Danach hören die TN das Gespräch so oft wie nötig und kreuzen an. Anschließend Kontrolle. *Lösung:* 2 Einzelzimmer, Halbpension; 3 Strandblick; 4 noch ein Zimmer	CD 2.10	
	EA, PL	b Die TN lesen die Aussagen und versuchen eine erste Zuordnung, wer was sagt. Dann hören sie das Gespräch noch einmal und kontrollieren oder ergänzen ihre Lösungen. Anschließend Kontrolle. *Lösung:* Rezeptionist: 2, 3, 5, 6; Frau Thalau: 1; Herr Klein: 4	CD 2.10	
	EA, PL	c Die TN ergänzen mithilfe der Sätze aus b die Tabelle. Anschließend Kontrolle. *Lösung:* (von oben nach unten) ob, wie lange Erklären Sie anhand der Tabelle, dass höfliche Fragen oft mit *Ich würde gern wissen, …; Darf ich fragen, …; Können Sie mir sagen/erklären, …; Wissen Sie, …* eingeleitet werden. Indirekte Fragen sind Nebensätze, das Verb steht also am Ende. Ja-/Nein-Fragen haben kein Fragewort, sie beginnen bei indirekten Fragen mit *ob*. Die TN sammeln weitere direkte Fragen, die der Rezeptionist oder die Gäste stellen könnten, und machen aus den direkten indirekte Fragen. Nutzen Sie auch die Fragen, die die TN zum Bildlexikon gesammelt haben. Zur weiteren Einübung schreiben Sie die Einleitungen *Sie/Er würde gern wissen, …; Sie/Er fragt, …; Sie/Er weiß nicht, …* auf Plakate oder größere Blätter Papier. Die TN stehen im Kreis und klatschen einen einfachen Rhythmus oder schnippen mit den Fingern. Stellen Sie eine Frage aus dem Themenbereich Hotel, z.B. *Hey, wo ist mein Zimmerschlüssel?* Zeigen Sie dabei einen der Zettel mit einer Einleitung. Die TN sprechen im Chor die indirekte Frage. Dann stellen Sie eine neue Frage und zeigen zunächst noch die gleiche Einleitung, wechseln Sie diese nicht jedes Mal. Wenn das Prinzip klar ist, übernehmen die TN das Fragen. Als Hilfe können die gesammelten Fragen der Gäste und des Rezeptionisten von oben an der Tafel stehen bleiben. Wenn die TN einige Sicherheit mit indirekten Fragen gewonnen haben, rufen Sie in den nächsten Tagen oder auch später zur Wiederholung einen Tag der indirekten Fragen aus. Kündigen Sie an, dass Sie heute nur indirekte Fragen beantworten werden. Auch die TN dürfen Fragen anderer nur beantworten, wenn sie indirekt waren. Zur Erinnerung hängen Sie ein Plakat *Tag der indirekten Fragen* über die Tafel.	Plakate/ Zettel	

		Moodle-Tipp: Im Wiki sammeln die TN Fragen, die sie einer berühmten Person gern mal stellen würden. Geben Sie einen Promi und eine Frage als Beispiel vor.		
4	PA	a Die TN schlagen die Aktionsseiten auf und fragen sich gegenseitig nach den fehlenden Informationen. Machen Sie, wenn nötig, einige Beispiele mit dem Musterdialog vor. Im Kommunikationskasten finden die TN weitere Beispiele für Einleitungen von indirekten Fragen. Schnelle TN überlegen sich weitere Fragen, welche die Partnerin / der Partner frei beantwortet. Extra: Verteilen Sie die Kopiervorlage. Die TN arbeiten zu zweit, einer bekommt A und einer B. Die Paare befragen sich gegenseitig zu ihren neuen Nachbarn. Diese Kopiervorlage können Sie auch zu einem späteren Zeitpunkt als Wiederholung einsetzen. Wenn die TN Freude an der Übung hatten, können sie sich zu zweit eine eigene, lustige Nachbarfamilie ausdenken und eine Kopiervorlage entwickeln. Ein anderes Paar bearbeitet dann diese Kopiervorlage.	KV L16|4a	
	PL, PA, EA	b Zwei TN spielen ein Gespräch für Situation 1 vor. Hilfe finden sie im Kommunikationskasten. Anschließend spielen die anderen das Gespräch zu zweit nach. Bieten Sie weitere Rollen (IWB/Kärtchen) für weitere Partnergespräche an, z.B. Hotelangestellte/-r: *nur noch Einzelzimmer mit Frühstück*; Gast: *Einzelzimmer, Halbpension, 2 Nächte* usw. Verfahren Sie mit Situation 2 ebenso. Lernungewohnte TN schreiben das Gespräch gemeinsam auf und sprechen es dann. Alternativ verteilen Sie die Kopiervorlage. Die TN notieren zunächst, wer was sagt, und sortieren dann das Gespräch, indem sie die Sätze ausschneiden und in die richtige Reihenfolge legen. Anschließend Kontrolle. Die TN üben zu zweit mehrmals das Gespräch. Dabei werden einmal die Teile des Gastes entfernt und frei gesprochen und danach die Teile des Hotelangestellten, sodass die TN allmählich an das freie Sprechen herangeführt werden. Anschließend führen sie zu zweit weitere Gespräche mit den Rollenkarten, dabei können die Partner auch gewechselt werden.	Rollenkärtchen, KV L16|4b, Scheren	
5	GA, PL	a Extra: Die TN sehen sich die Räume/Orte aus dem Bildlexikon an und suchen sich vier aus. In Kleingruppen versuchen sie, zu möglichst vielen Buchstaben im Wort ein Verb oder Nomen zu finden, das mit dem Raum/Ort zu tun hat. Machen Sie ein Beispiel an der Tafel. R Essen Stühle Tasse A U Reden A Nichtraucher Tisch		

	Dann lesen die Kleingruppen die gefundenen Wörter zu ihrem Ort vor, die anderen raten, welcher Ort gemeint ist. Wenn die Wörter nicht in der Reihenfolge ihres Vorkommens im Wort genannt werden, wird es schwieriger. Die TN schließen die Augen. Nennen Sie eine typische Aktivität für einen Ort aus dem Bildlexikon, z.B. *ein Zimmer buchen*. Die TN raten, welchen Ort Sie meinen. Führen Sie das Wort *schwitzen* ein, das im Zusammenhang mit *Sauna* gebraucht wird. Anschließend arbeiten die TN in Kleingruppen. Ein TN sucht sich einen Ort aus und führt pantomimisch vor, was er an diesem Ort macht. Die anderen raten, wo er ist und was er gerade macht. Moodle-Tipp: Geben Sie drei oder vier Orte des Bildlexikons vor und machen Sie eine Abstimmung zur Frage: *Wo sind Sie?* Die TN wählen einen Ort aus. TN, die für denselben Ort gestimmt haben, bilden eine Gruppe. Legen Sie dann ein Glossar an. Die TN sammeln dort Redemittel und Fragen, die an ihrem Ort gebraucht werden.		
PL, (PA)	b Präsentieren Sie das Foto (Folie/IWB) und stellen Sie Fragen dazu: *Wer braucht etwas? Wer hilft? Warum trägt der Mann rechts einen Bademantel?* Die TN können sich auch zu zweit ein Gespräch zu diesem Foto ausdenken und es aufschreiben. Dann lesen sie die Aussagen, hören das Gespräch und kreuzen an. Anschließend Kontrolle. *Lösung:* 1 die Sauna; 2 vom Schwimmbad; 3 Konferenzraum Der Mann im Bademantel stand plötzlich im Konferenzraum. Was könnte er den erstaunten Konferenzteilnehmern gesagt haben? Die TN überlegen sich mögliche Entschuldigungen und Reaktionen.	Foto auf Folie/ IWB, CD 2.11	

6

PL, EA, GA	a Wiederholung: Bitten Sie die TN, ein paar Wege zu beschreiben, z.B. den Weg von der Sprachschule zur Bushaltestelle oder zum nächsten Café usw., um lokale Präpositionen und Richtungsangaben wie *rechts, links, geradeaus* zu wiederholen. Fragen Sie auch, wie man nach dem Weg fragt, und halten Sie die Formulierungen an der Tafel fest. Erinnern Sie die TN an höfliche Einleitungsformeln für Fragen (vgl. 3c). Die TN lesen die Sätze und ergänzen die Wörter aus dem Auswahlkasten. Dann hören sie das Gespräch noch einmal und vergleichen. Anschließend Kontrolle. *Lösung:* 1 am ... vorbei; 2 durch; 3 gegenüber vom Weisen Sie die TN darauf hin, dass *am = an dem* und *vom = von dem* entspricht (rechter Grammatikkasten). *Gegenüber von* und *an ... vorbei* steht mit dem Dativ, *durch* mit dem Akkusativ. Fragen Sie die TN nach Wegen innerhalb des Kursgebäudes, z.B. vom Kursraum zum WC, vom Eingang zum Sekretariat usw. Wenn Sie die Möglichkeit haben, lassen Sie sie an Ort und Stelle die Wege beschreiben, die sie dann gemeinsam gehen. So prägt es sich besser ein. Nach einem Beispiel können die TN in Kleingruppen Wege beschreiben und abgehen.	CD 2.12	

		Moodle-Tipp: Die TN sollen sich gegenseitig nach Orten am Kursort fragen. Jeder TN legt dazu ein Thema im Forum an und fragt die anderen nach einem Ort und beantwortet seinerseits eine Frage eines anderen TN. Legen Sie auch hier einen gemeinsamen Ausgangspunkt für die Wegbeschreibungen fest.		
	PL, PA	b Die TN schlagen die Aktionsseite auf. Sie hören das Gespräch noch einmal und zeichnen den Weg ein. Anschließend Kontrolle. Zeigen Sie dazu den Plan (Folie/IWB). Anschließend spielen die TN zu zweit weitere Gespräche. Start ist die Rezeption. Der erste fragt nach dem Weg, die Partnerin / der Partner erklärt aber einen falschen Weg. In welchem Raum landet die/der Fragende? Dann werden die Rollen getauscht. Schnelle TN können später auch von einem anderen Punkt aus starten.	CD 2.12, Zeichnung auf Folie/ IWB	
7	PL/ GA	Die TN schließen die Augen. Ein TN beschreibt einen Weg innerhalb des Kursgebäudes. Start ist der Kursraum. Die anderen raten, wohin sie gehen. Alternativ beschreibt ein TN einen Weg in der Stadt. Start ist das Kursgebäude.		

	FORM	ABLAUF	MATERIAL	ZEIT
1	PL	Führen Sie im Kurs ein kurzes Gespräch zum Einstiegsfoto. Dann lesen die TN die Aussagen, hören das Gespräch und kreuzen an. Anschließend Kontrolle. *Lösung:* a fahren in den Urlaub; b auf das Haus; c ein Tagebuch im Internet Sprechen Sie mit den TN darüber, ob sie ein Internettagebuch oder einen Reise-Blog lesen würden und ob sie sich vorstellen können, selbst so etwas zu schreiben. Wer hat schon einmal ein Urlaubstagebuch geschrieben und welche Erfahrungen hat sie/er damit gemacht? Moodle-Tipp: Die TN schreiben einen Blog über die Unterrichtstage. Jeden Tag übernimmt ein anderer TN das Bloggen. Dies ist auch für Sie eine Rückmeldung über den Unterricht, über die Methoden, die in dieser Kursgruppe gut funktionieren, und darüber, welche Angebote als besonders effektiv empfunden werden. Belassen Sie den Blog als „Spielwiese" für die TN und korrigieren Sie nichts. Begrenzen Sie die Blog-Phase zeitlich. Wenn das Interesse der TN abzunehmen beginnt, wird der Blog eingestellt.	CD 2.13	
2	PL, GA, PA/ GA	Wiederholung: Die TN sammeln Verkehrsmittel, mit denen man in Urlaub fahren kann. Diese Aktivität kann auch auf der Lernplattform in Form einer Mindmap gemacht werden. Die TN sprechen in Kleingruppen über die Verkehrsmittel, mit denen sie am liebsten oder besonders häufig verreisen. Zusätzlich können sie auch über ihre letzte Reise erzählen, womit sie gereist sind und wie es war. Machen Sie zum Abschluss eine Kursstatistik über die beliebtesten Reiseverkehrsmittel. Alternativ schneiden Sie die Bilder der Kopiervorlage aus und verteilen Sie sie im Kursraum. Die TN gehen zu zweit oder dritt herum und sprechen über die Verkehrsmittel auf den Bildern. Verreisen Sie damit gern? Warum (nicht)? Was sind Vor- und Nachteile? Erfahrungen? Begrenzen Sie die Zeit, auf Ihr Zeichen gehen die Gruppen zum nächsten Bild. Tipp: Wenn Sie Bilder im Kursraum verteilen, kleben Sie diese zur Abwechslung auch einmal an ungewöhnliche Stellen, z.B. unter die Sitzfläche des Stuhls, über die Tür, in einen Schrank, ans Fenster usw. Das Suchen bringt zusätzliche Anregung und Motivation ins Spiel. Extra: Die TN spielen in Kleingruppen ein Fragespiel zu den Verkehrsmitteln. Dazu erhält jede Gruppe die Bilder der Kopiervorlage. Ein TN zieht ein Bild. Die anderen TN müssen dieses Verkehrsmittel erraten, indem sie Fragen stellen. In den Fragen dürfen die Verben *fahren, fliegen, schwimmen, laufen, gehen* nicht vorkommen. Der TN mit dem Kärtchen darf nur mit *Ja* oder *Nein* antworten. Wenn das Verkehrsmittel erraten wurde, zieht ein anderer ein Kärtchen.	KV L17|2	

3	EA, GA	Verteilen Sie die Fotos des Bildlexikons (Kopiervorlage 17|2 und 17|3) an Kleingruppen. Die TN sehen sich eine Minute lang das Bildlexikon an und prägen sich die Wörter ein. Dann werden die Bücher geschlossen. Ein TN zieht ein Bildkärtchen und beschreibt es. Die anderen raten das Wort. Wenn es erraten ist, zieht ein anderer ein Kärtchen usw. In Kursen mit lerngewohnten TN können Sie Bildkärtchen mit weiteren bekannten Wörtern zum Thema *Reisen* hinzufügen (vgl. Kopiervorlage). Extra: Die Kleingruppen mischen ihre Bildkärtchen und legen sie auf dem Tisch aus. Sie ziehen vier Kärtchen und überlegen sich gemeinsam eine kurze Geschichte, in der die Wörter der vier Kärtchen vorkommen. Die Geschichten werden für alle zur Ansicht im Kursraum aufgehängt.	KV L17|2, KV L17|3	
4	EA, PL	a Zeigen Sie die Fotos vergrößert (Folie/IWB). Die TN überfliegen den Text und ordnen die Fotos zu. Anschließend Kontrolle. Besprechen Sie ggf. kurz die Schlüsselwörter, die beim Zuordnen geholfen haben. *Lösung:* (von links nach rechts) D; B; E; C Tipp: Um die TN zum Überfliegen zu animieren, steht jeder auf, der mit dem Lesen und Zuordnen fertig ist. Sie können auch die schnellste Zeit stoppen und die Zeit auf einem Plakat festhalten. Beim nächsten längeren Text wird wieder gestoppt. Kann die Zeit unterboten werden?	Fotos auf Folie/IWB, ggf. Stoppuhr, Plakat	
	EA, PL, PA	b Die TN lesen den Text noch einmal und kreuzen die richtigen Sätze an. Anschließend Kontrolle. *Lösung:* richtig: 1, 4, 5, 7 Ergänzend schreiben die TN zu zweit vier Fragen zum Text auf. Sie stellen die Fragen einem anderen Paar. Bringen Sie eine Europakarte mit und verfolgen Sie mit den TN die Reiseroute von Simone und Felix. Dabei geht es nur um die grobe Route, da kleine Orte voraussichtlich nicht auf der Karte zu finden sein werden. Ein TN kann im Internet recherchieren, wie viele Kilometer die beiden in etwa zurücklegen. Sprechen Sie mit den TN über Urlaub mit dem Motorrad oder andere Urlaubsformen, bei denen man jeden Tag unterwegs ist. Finden die TN das interessant? Möchten sie das auch machen? Warum / Warum nicht? Extra: Schreiben Sie diese „Überschriften" an die Tafel: *Wegbeschreibung im Dorf; Verletzt?; Werkstattgespräch; ein Hotelzimmer buchen; Verkaufsgespräch; das Abendessen bestellen; ein Fährticket kaufen.* Die TN überlegen zunächst, in welcher Reihenfolge diese Situationen im Lesetext vorkommen, und geben die Zeilen an. (Lösung: Werkstattgespräch (Z. 6–9), Fährticket kaufen (Z. 14–16), Verletzt? (Z. 20–25), Hotelzimmer buchen (Z. 25–26), Abendessen bestellen (Z. 27–28, 35–37), Wegbeschreibung im Dorf (Z. 38–40), Verkaufsgespräch (Z. 47–51).) Dann suchen sich die TN zu zweit eine Situation aus und schreiben dazu ein kurzes Gespräch. Die meisten Situationen sind den TN aus vorherigen Lektionen bekannt, sodass ihnen der Wortschatz und die Strukturen zur Verfügung stehen. Die Paare üben ihre Gespräche ein und spielen sie im Plenum frei vor.	Karte von Europa	

	Für Situationen, die die TN nicht bearbeitet haben, erarbeiten Sie gemeinsam im Kurs ein Gespräch. Wenn Sie die Gespräche in der Reihenfolge des Textes spielen lassen, haben die TN „den Urlaub nachgespielt" und so das Textverständnis durch einen anderen Zugang vertieft.		
PA, PL	c Die TN schlagen die Aktionsseite auf und sehen sich zu zweit die markierten Begriffe im Text an. Von den 17 Begriffen sind 12 falsch und 5 richtig. Die TN suchen die Fehler und ergänzen die richtigen Begriffe. Dabei sollten sie es zunächst ohne den Auswahlkasten versuchen und ihn abdecken. Besprechen Sie bei der gemeinsamen Kontrolle auch andere passende Ergänzungen, z.B. Zeile 14: *Autobahnen/Straßen*. Hier auch möglich: *Wegen*. Oder Zeile 47: *Niemand/Jemand*. Auch möglich: *Einer*. Es geht hier nicht um das gute Gedächtnis, sondern um Textverständnis. Weisen Sie die TN auf den Infokasten hin. Das Gegenteil von *etwas* ist *nichts*, das Gegenteil von *jemand/einer* ist *niemand/keiner*.		
EA, PL	d Die TN ergänzen die Präpositionen mithilfe des Textes in a. Anschließend Kontrolle. *Lösung:* Wohin?: *ans* Meer; *nach* Rumänien/Deutschland; Wo?: *am* Meer; *in* Săpânța/Berlin; *in* Rumänien/Deutschland *An, auf, in* kennen die TN als Wechselpräpositionen bereits. Neu ist hier der feste Gebrauch mit bestimmten Orten. So fährt man *an* die Küste, aber *auf* eine Insel. Weisen Sie die TN besonders auf Städte und Länder hin: Man ist *in* Berlin, *in* Österreich, aber *in der* Schweiz. Bringen Sie Fotos aus Reiseprospekten mit oder nutzen Sie die Kopiervorlage. Die TN stehen im Kreis. Halten Sie ein Foto, z.B. vom Meer, hoch und sagen Sie: *Ich fahre ans Meer*. Die TN wiederholen im Chor: *Wir fahren ans Meer*. Bleiben Sie zunächst beim Verb *fahren* und machen Sie weitere Beispiele. Nach einiger Zeit geben Sie den Satz nicht mehr vor, die TN reagieren direkt auf den Bild-Impuls. Wenn die TN einige Sicherheit erlangt haben, wechseln Sie zum Dativ. Zeigen Sie ein Foto und geben Sie vor: *Ich bin am Meer*. Die TN sprechen wiederum im Chor. In einer dritten Runde wird abgewechselt. Zeigen Sie ein Foto und fragen Sie: *Wohin fahren wir?* oder *Wo sind wir?* Die TN antworten entsprechend im Chor. Diese Übung können Sie zu einem späteren Zeitpunkt zur Wiederholung und Festigung einsetzen.	Fotos aus Reiseprospekten, KV L17|4d	
PL/ GA	e Im Plenum oder in Kleingruppen machen die TN die Kettenübung wie im Buch angegeben. Dabei können sie der Person, die sie nach dem Urlaubsort fragen, einen weichen Ball oder ein Tuch zuwerfen. Extra: Kleingruppen erhalten je einen Satz Kärtchen der Kopiervorlage. Die Kärtchen werden gemischt und verdeckt auf dem Tisch ausgelegt. Der erste TN deckt drei Kärtchen auf und beschreibt, wohin er in Urlaub fährt, z.B. *Zuerst fahre ich drei Tage in die Berge, dann eine Woche an die Küste und am Schluss fahre ich noch nach Frankfurt*. Geübte TN können ergänzen, mit wem und/oder womit sie reisen.	Ball/Tuch, KV L17|4d	

		In einer zweiten Runde erzählen die TN mithilfe der Kärtchen, wo sie im letzten Urlaub waren, z.B. *Zuerst war ich drei Tage in den Bergen, dann war ich eine Woche an der Küste und am Schluss war ich noch zwei Tage in Frankfurt.* In einer dritten Runde fragt ein TN: *Wo warst du?* oder *Wohin fährst du?*, sodass spontan reagiert werden muss.		
5	PA, GA	Die TN schreiben zu zweit vier Kommentare zu dem Reisetagebuch in 4a. Machen Sie deutlich, dass sich die Kommentare gezielt auf einen der fünf Abschnitte des Reisetagebuchs beziehen sollten. Hilfe bei der Formulierung finden die TN im Kommunikationskasten. Geben Sie vor, dass die TN mindestens zwei Beispiele daraus verwenden sollen. Wenn die Kommentare fertig sind, werden sie mit einem anderen Paar getauscht und den Textabschnitten zugeordnet. Abschließend kontrollieren die Paare ihre Ergebnisse gemeinsam. Extra: Die TN erzählen in Kleingruppen von ihrem letzten Urlaub, die anderen kommentieren. Dazu können die Kleingruppen zunächst für jedes Redemittel aus dem Kommunikationskasten ein Kärtchen (alternativ: Haftnotizzettel) schreiben. Die Kärtchen oder Zettel werden in die Mitte gelegt. Jeder TN sollte eine Minute erzählen. Sobald er eines der Redemittel benutzt, wird das Kärtchen bzw. der Zettel zur Seite gelegt. Wenn ein anderer TN dran ist, werden alle Redemittel wieder in die Mitte gelegt. Wenn Sie das Gespräch auf eine der folgenden Unterrichtsstunden legen, können die TN auch Urlaubsfotos mitbringen und als Stütze beim Erzählen nutzen. Moodle-Tipp: Die TN schreiben einen Text über ihren letzten Urlaub im Korrekturmodul oder im Forum.	Blankokärtchen oder Haftnotizzettel, ggf. Urlaubsfotos	
6	GA	a Die TN arbeiten in Kleingruppen. Jeder TN erhält vier kleine Zettel in drei verschiedenen Farben, d.h. von einer Farbe gibt es zwei Zettel. Auf den ersten Zettel schreiben die TN einen Ort, auf den zweiten Zettel eine Zeit und auf die zwei übrigen je eine Person, jeweils mit einem Adjektiv. Die Zettel werden eingesammelt und gemischt. Benutzen Sie am besten drei kleine Schachteln für die Zettel, z.B. Teeschachteln, damit Orte, Zeiten und Personen nicht durcheinandergeraten.	farbige Zettel, Schachteln	
	GA	b Jede Gruppe zieht nun einen Ort, eine Zeit und zwei Personen und überlegt sich eine Geschichte dazu.		

GA, PL	c Die Gruppen schreiben ihre Geschichte. Wenn sie fertig sind, sollten sie die Geschichte noch einmal durchlesen und nach den Kriterien Grammatik, Rechtschreibung, Satzbau korrigieren. Helfen Sie bei Bedarf. Oder verteilen Sie für diesen Korrekturschritt die Kopiervorlage. Jede Gruppe erhält eine Vorlage und arbeitet die Fragen nacheinander ab. Es können nach Bedarf weitere Fragen hinzugefügt werden. Zu jedem Schritt sollte der Text komplett gelesen werden, damit die TN sich nur auf diesen Schritt konzentrieren. Hilfreich ist es, wenn Sie auch die Texte für jeden TN kopieren, dann lässt er sich besser lesen. Allerdings müssen die TN dann ihre Ergebnisse jeweils zusammentragen und in einem Hauptexemplar verbessern. Die Gruppe bewertet nach jedem Schritt, wie schwer ihnen dieser gefallen ist. Nachdem der Text komplett korrigiert ist, wird er noch einmal sauber abgeschrieben, dabei kann jeder in der Gruppe einen Satz schreiben. Besprechen Sie am Ende, was den TN schwergefallen ist, und bieten Sie zu diesem Thema ggf. eine Wiederholung an. Tipp: Diese Kopiervorlage kann immer wieder bei der Textproduktion genutzt werden. Zunächst ist das langwierig und kostet einige Zeit, aber im Laufe der Zeit wird diese Form der Kontrolle Routine, geht schneller und schult die Aufmerksamkeit für vermeidbare Fehler. Nehmen Sie nur Texte zur Kontrolle an, die die TN selbst schon überarbeitet haben. Die zeitliche Investition lohnt sich, denn viele Fehler entstehen, weil die TN zunächst sehr auf den Inhalt konzentriert sind, was natürlich richtig ist und auch so bleiben soll, aber der zweite Schritt sollte die sprachliche Eigenkontrolle sein. Anschließend werden einige Geschichten vorgelesen. Die TN stehen im Kreis und spielen pantomimisch mit, was vorgelesen wird. Nach zwei oder drei Geschichten können Sie es auch umgekehrt probieren: Die TN einer Gruppe spielen ihre Geschichte pantomimisch vor, Satz für Satz. Die anderen raten, was jeweils passiert, bis die ganze Geschichte bekannt ist. Ein TN fungiert als Schreiber und schreibt mit. Am Ende werden die ursprüngliche Geschichte und die während des Spiels entstandene verglichen. Weitere Geschichten können Sie als Stundeneinstieg auf die nächsten Unterrichtstage verteilen, denn eine Geschichte zu erraten ist spannend, werden es aber zu viele, hat es den gegenteiligen Effekt.	KV L17|6c	

	FORM	ABLAUF	MATERIAL	ZEIT
1	PL (GA)	Wiederholung: Schreiben Sie *Kälte* und *Hitze* an die Tafel und erklären Sie die Wörter, indem Sie Temperaturen nennen. Fragen Sie dann nach weiteren Wörtern zum Wetter und notieren Sie sie entsprechend unter *Kälte* oder *Hitze* oder in der Mitte, wenn sie zu beiden passen. Alternativ können Sie Post-its mit bereits bekannten Wörtern (vgl. *Menschen A1*, Lektion 23) vorbereiten, welche die TN zu den Wörtern an die Tafel heften. Alternativ kopieren Sie die Placemat (Kopiervorlage) auf DIN A3. Je vier TN erhalten eine Vorlage. Die TN sitzen sich paarweise gegenüber, sodass ein Paar das Feld *Hitze* vor sich hat, das andere Paar das Feld *Kälte* (vgl. Tipp auf Seite 37). Die Paare schreiben drei Minuten lang auf, was ihnen an Stichwörtern einfällt. Sie können dabei die Wörter frei über ihr Feld verteilen, das heißt, beide Partner schreiben, ohne sich abzustimmen. Dann wird das Blatt gedreht und die Paare lesen und ergänzen, was das andere Paar geschrieben hat. Dazu haben sie wieder drei Minuten Zeit. Dann arbeiten alle vier zusammen und notieren zu den Begriffen auf beiden Feldern Oberbegriffe im mittleren Feld, z.B. *Kleidung, Wetter, Getränke, Sport* usw. Sie „sortieren" ihre Wörter nach den Oberbegriffen, indem jedem Oberbegriff eine Farbe zugeordnet wird (z.B. Rot für *Kleidung*) und die Wörter entsprechend farbig markiert werden. Die Gruppen hängen ihre Plakate auf. Geben Sie den TN etwas Zeit, sich die Ergebnisse der anderen anzusehen. Die TN lesen die Aussagen, hören die Äußerungen und kreuzen an. Anschließend Kontrolle. *Lösung:* richtig: b Stellen Sie weitere Verständnisfragen, z.B. *Welche Jahreszeit / Welcher Monat ist gerade? Was ist für den Mann / die Frau am schlimmsten?* Sprechen Sie mit den TN auch darüber, welche Beschwerde sie eher nachvollziehen können und warum.	ggf. Haftklebezettel zum Thema „Wetter", KV L18|1, Farbstifte, CD 2.14	
2	EA, PA	a Erklären Sie *Glühwein*. Die TN kreuzen an, was sie am Sommer bzw. Winter mögen, und ergänzen bis zu fünf weitere Dinge, die sie daran mögen. Anschließend vergleichen sie zu zweit und ergänzen ggf. die Ideen der Partnerin / des Partners, wenn sie ebenfalls zutreffen, oder sie besprechen die Unterschiede.		
	PL, GA, EA	b Fragen Sie, was für Typen der Mann und die Frau aus Aufgabe 1 sind: Sommer- oder Wintertyp? Legen Sie eine Sommer-Ecke und eine Winter-Ecke im Kursraum fest. Die TN entscheiden sich für eine Ecke und gehen dorthin. Die beiden Gruppen berichten, warum sie sich für diese Jahreszeit entschieden haben, was sie an dieser Jahreszeit mögen (vgl. a), was sie gern in dieser Jahreszeit machen, welche Speisen, Farben, Gerüche und Begriffe sie mit dieser Jahreszeit verbinden. Erweitern Sie das Thema ggf. auf Frühling und Herbst – mit zwei weiteren Jahreszeiten-Ecken – und sprechen Sie mit den TN darüber, was sie gern in welcher Jahreszeit machen und welche Jahreszeit bzw. welches Wetter sie überhaupt nicht mögen.	ggf. Plakate	

		Alternativ oder zusätzlich sammeln die Gruppen ihre Assoziationen auf einem Plakat. Diese werden im Kursraum aufgehängt und dienen in den nächsten Unterrichtsstunden als Gedächtnisstütze und Wortschatzhilfe für die weiteren Aufgaben der Lektion. Extra: Die TN schreiben als Hausaufgabe einen Text über sich: *Warum ich ein Sommer-/Wintertyp bin.* Erinnern Sie die TN an die Kopiervorlage Lektion 17|6c zur Korrektur. Alternativ kann die Aufgabe im Forum oder mithilfe der „Text-mit-Korrektur-Funktion" der Lernplattform (Moodle) gemacht werden.		
3	PL (EA), PA	a Die TN hören die Interviews und ordnen die Sätze zu. Verteilen Sie alternativ die Kopiervorlage. Die TN lesen die Interviews und ordnen die fehlenden Äußerungen zu. Anschließend hören sie die Interviews und kontrollieren. Erst dann schlagen sie das Kursbuch auf und ordnen die Sätze zu, ohne in ihre Kopie zu schauen. Dann hören sie die Interviews noch einmal und kontrollieren sich selbstständig. Anschließend noch einmal gemeinsame Kontrolle. *Lösung:* 2 auf Eis und Schnee? 3 für Wintersport. 4 auf einen heißen Tee. 5 mit mir? 6 für Ihre Meinung zum Wetter. 7 mit diesem schönen Sommertag. 8 Winter geträumt. 9 über die Hitze. Extra: Die TN lesen die Interviews zu zweit mit verteilten Rollen. Dabei achten sie auf eine gute Intonation. Freiwillige TN können die Interviews wie einen Sketch vorspielen. Bringen Sie Requisiten mit, z.B. Pudelmütze und Handschuhe, Sonnenhut oder Sonnenbrille.	CD 2.15–16, KV L18|3a, Pudelmütze, Handschuhe, Sonnenhut, Sonnenbrille	
	EA, PL, PA, GA	b Die TN lesen die Sätze in a noch einmal und ergänzen die Präpositionen und Endungen im Grammatikkasten. Anschließend Kontrolle. *Lösung:* Verben mit Präpositionen + Akkusativ: auf einen, über; Verben mit Präpositionen + Dativ: mit diesem; mit Zu manchen Verben (bzw. Adjektiven und Nomen) gehören feste Präpositionen. Erinnern Sie TN mit europäischer Muttersprache und/oder Englischkenntnissen daran, dass es Verben mit festen Präpositionen auch in anderen Sprachen gibt, z.B. *sich interessieren <u>für</u>* (engl. *to be interested <u>in</u>*). Am besten lernt man diese Verben zusammen mit der Präposition und dem Kasus. Lassen Sie die Paare einige der Verben aus a im Wörterbuch suchen und überprüfen, ob die Präposition auch aufgeführt wird. Manchmal wird nur die Präposition genannt, aber der Kasus fehlt. Manchmal gibt es eine Tabelle dieser Verben im Anhang. Weisen Sie darauf hin, dass diese wichtigen Angaben auf alle Fälle in einem einsprachigen Wörterbuch zu finden sind, im Allgemeinen auch mit Beispielen. Bringen Sie ein einsprachiges Wörterbuch mit und zeigen Sie Beispiele.	Wörterbücher, einsprachiges Wörterbuch, Würfel	

	Schreiben Sie zur Einübung Satz 1 aus a an die Tafel. Bitten Sie die TN, die Frage zu variieren: *Darf ich kurz mit Ihnen über diesen schrecklichen Winter / das gute Wetter / Ihre Lieblingsjahreszeit / … sprechen?* Notieren Sie die Vorschläge der TN. Nach einigen Beispielen arbeiten die TN zu zweit weiter. Anschließend werden die Sätze im Plenum vorgelesen und ggf. korrigiert. Möglich für diese Übung sind auch die Satzanfänge *Die meisten Menschen freuen sich auf … / Ich ärgere mich über …* Um weiter zu üben, erhalten die TN in Kleingruppen einen Würfel. Notieren Sie für jede Augenzahl des Würfels ein Verb mit fester Präposition. Ein TN aus der Gruppe nennt eine Jahreszeit oder einen Monat, ein anderer würfelt und bildet zu der genannten Jahreszeit / dem genannten Monat einen Satz mit dem gewürfelten Verb. Ändern Sie von Zeit zu Zeit die Verben an der Tafel. Tilgen Sie nach einiger Zeit die Präpositionen. 1 = sich freuen auf 2 = sprechen über 3 = träumen von 4 = Lust haben auf 5 = sich ärgern über 6 = sich interessieren für		
EA, PL, GA, PA	c Die TN schreiben vier Sätze wie im Buch auf einen Zettel. Die Zettel werden eingesammelt und gemischt. Danach zieht jeder TN einen neuen Zettel und liest ihn vor. Die anderen raten, wer ihn geschrieben hat. Zusätzlich schreiben die TN fünf Zettel mit je einem beliebigen Nomen. In Kleingruppen werden die Zettel gemischt. Ein Zettel wird aufgedeckt. Wer zuerst einen sinnvollen Satz mit Verb mit Präposition zu diesem Thema / Nomen sagt, bekommt den Zettel. Lerngewohnte TN geben auch eine Begründung mit *weil* oder *denn*. Wer hat am Schluss die meisten Zettel? Extra 1: Verteilen Sie den Spielplan der Kopiervorlage an Paare. Weiter brauchen die TN zwei kleine Knöpfe und zehn Münzen. Die Ränder des Spielfeldes werden so umgeknickt, dass an allen Seiten ein Rand von etwa einem Zentimeter entsteht. Der Rand soll hochstehen, da er als Bande dient. Der erste TN legt seinen Knopf vor sich und schnippt ihn in die gegnerische Spielhälfte, indem er mit dem anderen Knopf auf den Knopfrand drückt. Er bildet zu dem Bild, auf dem der Knopf landet, einen Satz mit Präposition. Anschließend wird eine Münze auf dieses Feld gelegt. Der andere TN spielt nun von seiner Seite aus. Gewonnen hat, wer die meisten Münzen in der gegnerischen Hälfte hat. Wenn ein TN seinen Knopf in die eigene Hälfte spielt, bildet er genauso einen Satz und legt eine Münze ab. Das ist dann aber ein Punkt für den Gegenspieler. Bereits besetzte Felder können nicht mehr angespielt werden, landet ein Knopf dort, ist der Gegenspieler dran. Das Spiel endet, wenn alle zehn Münzen auf dem Spielfeld liegen.	Zettel, KV L18|3c, Münzen, flache Knöpfe, Klebeband oder Stecknadeln	

	Extra 2: Die TN spielen „lebendes Domino". Bereiten Sie dazu Zettel mit Verben vor, aber ohne Präposition. Die Präpositionen werden auf extra Zettel geschrieben. Jeder TN erhält einen Zettel mit einem beliebigen Verb und einer beliebigen Präposition. Die TN befestigen sich das Verb auf dem Bauch und die Präposition auf dem Rücken. Sie stellen sich so Rücken an Bauch, dass jedem Verb die passende Präposition folgt. Dabei kann es passieren, dass die Reihe nicht aufgeht, wenn TN andere Kombinationen kennen, z.B. *sich freuen über*. Als Variante können Teil-Sätze auf die Zettel geschrieben werden, die vor der Präposition enden, ein zweiter Zettel enthält den Teil mit Präposition. Das Spiel eignet sich auch zu einem späteren Zeitpunkt zur Wiederholung von Verben mit Präposition.		

4

EA, PL, PA	a Die TN ergänzen die Dialoge, Hilfe finden sie im Grammatikkasten. Alternativ hören sie noch einmal die Interviews und ergänzen. Zu zweit vergleichen sie ihre Lösung. Anschließend noch einmal gemeinsame Kontrolle.	ggf. CD 2.15–16, Ball	

Lösung: (von oben nach unten) auf, darüber, Worauf, Auf, Darauf, mit

Die TN lesen den Grammatikkasten. Sie versuchen, anhand der Beispiele selbstständig die Regeln zu erklären. Helfen Sie, wenn die Hypothesen in die falsche Richtung gehen, und ergänzen Sie, wenn etwas fehlt. Fassen Sie am Schluss mit einem Tafelbild zusammen und erklären Sie: Nach Sachen wird mit *wo + (r) + Präposition* gefragt, nach Personen mit Präposition und dem Fragewort *wem* (Dativ) oder *wen* (Akkusativ). Das *-r-* wird eingefügt, wenn die Präposition mit einem Vokal beginnt. Das Pronomen wird entsprechend mit *da + (r) + Präposition* bzw. Präposition und Personalpronomen im richtigen Kasus gebildet. Wiederholen Sie die Personalpronomen im Akkusativ und Dativ.

Verben mit festen Präpositionen

	Frage	Pronomen
Sachen Ich träume von den Ferien.	wo + (r) + Präposition Wovon träumst du?	da + (r) + Präposition Davon träume ich auch.
Personen Wir sprechen gerade über Sara.	Präposition + wen/wem Über wen sprecht ihr?	Präposition + Personalpronomen Ich will nicht über sie sprechen.

Die TN stehen im Kreis und werfen sich einen Ball zu. Beginnen Sie mit einem ersten Beispiel, z.B. *Ich freue mich auf den Herbst.*, und werfen Sie einem TN den Ball zu. Der fragt nach, als ob er nicht richtig verstanden hätte: *Worauf freust du dich? / freuen Sie sich?* Dabei kann die Hand hinters Ohr gelegt werden. Wiederholen Sie: *Auf den Herbst.* Der TN bringt den Mini-Dialog zum Abschluss: *Ach so. Darauf freue ich mich auch / nicht.*

<table>
<tr><td></td><td></td><td>Nun bildet dieser TN einen Satz und wirft den Ball einem anderen zu usw. In einer zweiten Runde können die TN direkt mit einer Frage beginnen (Worauf / Auf wen freust du dich?). Der zweite TN antwortet frei. Zur Erleichterung und damit alle bekannten Verben mit Präpositionen vorkommen, können Sie alle Verben und Ausdrücke aus 3b anschreiben, zunächst mit Präposition. Löschen Sie nach einiger Zeit die Präpositionen.</td><td></td><td></td></tr>
<tr><td></td><td>EA,
PA</td><td>b Die TN schlagen die Aktionsseite auf. Gehen Sie vorab auf die zwei neuen Verben mit Präposition ein: denken an + Akkusativ, sich treffen mit + Dativ. Die TN beantworten zunächst die Interviewfragen für sich, allerdings sollen zwei falsche Angaben darunter sein. Dann fragen sie ihre Partnerin / ihren Partner und machen sich Notizen. Anschließend äußern sie ihre Vermutungen über die falschen Angaben.

Moodle-Tipp: Die TN sammeln im Wiki Antworten auf die Fragen: Worauf freuen Sie sich? Worüber ärgern Sie sich? Sie kommentieren die Beispiele der anderen.</td><td></td><td></td></tr>
<tr><td>5</td><td>EA,
PL</td><td>a Extra: Weisen Sie auf das Bildlexikon hin. Zur Übung können die TN ein Elfchen-Gedicht zu einem Begriff aus dem Bildlexikon schreiben. Geben Sie dazu Folgendes an der Tafel vor, wenn nötig auch ein Beispiel:

Wetter-Elfchen | Beispiel
ein Wort: Bildlexikon | Tief
zwei Wörter: Wie ist es? | alles grau
drei Wörter: Was tun? | alle Lampen anmachen
vier Wörter: mehr erzählen | ein buntes Bild malen
ein Wort: bewerten | Toll!

Die TN schreiben ein eigenes Elfchen. Beim Vorlesen lassen sie das erste Wort weg, die anderen raten, welches Wort aus dem Bildlexikon passt.

Die TN überfliegen den Text und sehen ins Bildlexikon, um sich durch die Bilder Verständnishilfen zu holen. Dann sehen sie die beiden Wetterkarten an und notieren, aus welcher Himmelsrichtung das Wetter kommt. Anschließend Kontrolle.

Alternativ sehen sich die TN zuerst die Wetterkarten an und notieren anhand der Grafiken die Himmelsrichtung, aus der das Wetter kommt. Dann erst lesen sie den Text und vergleichen bzw. vertiefen ihre Kenntnisse über die Wetterbedingungen in Mitteleuropa.

Lösung: links: Westen; rechts: aus dem Osten</td><td></td><td></td></tr>
<tr><td></td><td>EA,
PA,
GA,
PL</td><td>b Die TN lesen den Text noch einmal, beantworten die Fragen und vergleichen mit der Partnerin / dem Partner. Zu zweit schreiben sie dann zwei eigene Fragen zum Text und tauschen sie mit einem anderen Paar, mit dem sie auch die Antworten besprechen. Anschließend Kontrolle der Fragen im Kursbuch sowie einiger Beispiele der TN.

Lösung: 1 Aus dem Westen. 2 Aus dem Osten. 3 In Bern.</td><td></td><td></td></tr>
</table>

		Extra: Drei TN informieren sich im Internet über das aktuelle Wetter in Bern, Berlin und Wien und berichten im Kurs. Das können Sie über mehrere Tage machen und immer andere TN beauftragen. Besonders interessant ist es, noch andere Städte einzubinden, z.B. Schaffhausen und Bellinzona (für die Schweiz), München, Düsseldorf und Hamburg oder Kiel (für Deutschland), Innsbruck und Klagenfurt (für Österreich), weil das Wetter dort sehr unterschiedlich sein kann. Sprechen Sie die Einflüsse an, die für diese Unterschiede verantwortlich sind (z.B. maritimes Küstenklima in Kiel, Nähe zum Gebirge in Innsbruck usw.).		
6	PL, EA, GA	Wiederholung: Wiederholen Sie anhand der Wetter-Adjektive, z.B. aus dem Text in 5a, den Komparativ und Superlativ. Die TN informieren sich über das Wetter an ihrem Wohnort. Dabei sollten sie nicht nur das aktuelle Wetter berücksichtigen, sondern auch Informationen zur durchschnittlichen Jahrestemperatur, dem wärmsten und kältesten Monat (vgl. Text in 5a) recherchieren. In homogenen Kursen, wenn also die TN in derselben Region leben, vergleichen die TN in Kleingruppen ihre Recherche-Ergebnisse und besprechen Frage b. Sind alle derselben Meinung oder gibt es Unterschiede? In Kursen mit TN aus verschiedenen Herkunftsländern kann die Wetter-Recherche auf den Heimatort der TN bezogen werden. Bilden Sie dann Gruppen mit TN aus verschiedenen Ländern. Die TN berichten. Dabei können sie ihre Länder/Regionen auch vergleichen. Bei TN aus verschiedenen Regionen/Ländern können Sie zum Abschluss ein Ranking machen: *Wo ist es am kältesten/wärmsten/trockensten/...?* usw. Extra: Bestimmen Sie für jeden Tag einen Wetterexperten, der die Wetteraussichten für den nächsten Tag / das Wochenende im Plenum vorstellt. Lerngewohnte TN geben zusätzlich Tipps für die geeignete Kleidung oder mögliche Aktivitäten (besonders für das Wochenende). Moodle-Tipp: Die TN berichten im Forum über ihre letzte Urlaubsreise, insbesondere über das Wetter am Urlaubsort. Helfen Sie mit Leitfragen: *Wie war das Wetter? War es typisch für die Jahreszeit? Wie war es für Sie (angenehm, zu heiß ...)?*		
7	EA/PA	a Die TN arbeiten allein oder zu zweit und stellen sich einen Ort auf der Welt vor. Sie machen sich Notizen dazu wie im Buch angegeben. Für eine ausführlichere Vorbereitung kann das auch als Hausaufgabe gemacht werden.		
	PL	b Die TN berichten über ihren Ort. Die anderen versuchen, den Ort zu erraten, dabei dürfen sie auch Fragen stellen (*Gibt es dort viele Sehenswürdigkeiten?*). Spannend wird es, wenn Sie den Kurs in zwei Gruppen aufteilen, die gegeneinander spielen. Ein TN aus Gruppe A berichtet und Gruppe B rät und umgekehrt. Um die Ratemöglichkeiten etwas einzuschränken, können Sie sich die Orte aller TN bzw. Gruppen vorab nennen lassen und an die Tafel schreiben.		

Lesemagazin

	FORM	ABLAUF	MATERIAL	ZEIT
1	PL, EA/ PA	Die Bücher sind zunächst geschlossen. Fragen Sie die TN, durch welche Länder und Städte der Rhein fließt, wer schon einmal in einer Stadt am Rhein war oder gar auf dem Rhein gefahren ist und was sie sonst noch über diesen Fluss wissen. Erklären Sie kurz, was die Loreley ist. Dann schlagen die TN die Bücher auf und lesen den Text. Allein oder zu zweit notieren sie, welche Angebote die Reisenden nutzen können. Anschließend Kontrolle. *Lösung:* Städte am Rhein erkunden; Wellness-Bereich auf dem Schiff; kulinarische Spezialitäten; regionale Weine/Weinprobe; Besuch der Loreley; lesen; Sport treiben; sich mit Freunden treffen Landeskunde: Die Loreley ist ein 132 Meter hoher Felsen bei St. Goarshausen am Rhein. Der Legende nach sitzt auf dem Felsen eine singende Mädchengestalt, die die Schiffer vom Kurs ablenkte, sodass ihre Schiffe am Felsen zerschellten. Tatsächlich ist der Felsen für Schiffe gefährlich, weil der Fluss hier eine Kurve macht. Die Loreley war und ist Thema für viele Dichter, am berühmtesten ist Heinrich Heines Gedicht „Die Lore-Ley".		
2	EA, GA/ PL	Die TN markieren, welche Angebote in 1 sie interessant finden. Dann unterhalten sie sich in Kleingruppen oder im Plenum darüber, ob eine Flusskreuzfahrt etwas für sie wäre. Warum (nicht)?		

Film-Stationen

	FORM	ABLAUF	MATERIAL	ZEIT
1	PL, EA	a Die Bücher bleiben geschlossen und die TN sehen den Anfang des Films (bis 1:22) ohne Ton und ohne zu schreiben. Sie achten auf die Kleidungsstücke, die zu sehen sind. Dann schlagen sie die Bücher auf und notieren alle Kleidungsstücke, an die sie sich erinnern. Anschließend sehen sie den Film ein zweites Mal und kontrollieren bzw. ergänzen. Anschließend gemeinsamer Vergleich. *Lösung:* Stiefel, Kleider, Jacken, Mäntel, Röcke, eine Federboa (die legt Lena sich um den Hals)	Clip 6	
	PL, EA	b Die TN lesen die Fragen und sehen dann den Anfang des Films (bis 2:00) mit Ton. Auch hier sollten die TN sich zuerst auf den Film konzentrieren und erst hinterher Notizen machen. Anschließend Kontrolle. *Lösung:* 1 Weil sie bald ihren ersten Hochzeitstag hat. 2 Lena findet das Kleid toll. Die Farbe steht Melanie sehr gut. 3 Melanie findet es auch hübsch, ist aber mit der Farbe unsicher.	Clip 6	

<table>
<tr>
<td></td>
<td>PL/
GA</td>
<td>c Die TN sprechen im Plenum oder in Kleingruppen über ihre Einkaufsgewohnheiten. Zur Anregung dienen die Fragen im Buch.

Alternativ oder zusätzlich können Sie eine kleine Umfrage im Kurs machen, die interessanter wird, wenn Sie nach Männern und Frauen differenzieren. Befragen Sie die TN nach folgender Tabelle. Die TN antworten per Handzeichen oder durch Klebepunkte, die sie vergeben. Dann beschreiben sie das Kurs-Ergebnis. Haken Sie nach, inwieweit es die TN erwartet haben und wo es Überraschungen gibt.

Einkaufen
<table>
<tr><th>Frauen</th><th>Männer</th></tr>
<tr><td>gern nicht gern</td><td>gern nicht gern</td></tr>
<tr><td>gestern letzte Woche länger her</td><td>gestern letzte Woche länger her</td></tr>
<tr><td>allein mit Freund(in)</td><td>allein mit Freund(in)</td></tr>
</table>
</td>
<td>ggf. Klebepunkte</td>
<td></td>
</tr>
<tr>
<td>2</td>
<td>PL</td>
<td>a Die TN sehen den zweiten Teil des Films (ab 2:01) und ergänzen im Anschluss die Namen. Anschließend Kontrolle.

Lösung: 1 Melanie, Max; 2 Lena; 3 Melanie, Max</td>
<td>Clip 6</td>
<td></td>
</tr>
<tr>
<td></td>
<td>EA,
PL</td>
<td>b Die TN versuchen eine Korrektur der Sätze aus dem Gedächtnis. Dann sehen sie den Film ein zweites Mal und vergleichen. Anschließend Kontrolle.

Lösung: 2 <s>eine Woche</s> ein Wochenende; 3 <s>der Bahn</s> dem Auto; 4 <s>der Schweiz</s> Österreich; 5 <s>kleines</s> großes; 6 <s>Halbpension</s> Frühstück

Sprechen Sie mit den TN darüber, wie sie die Idee finden, am ersten Hochzeitstag eine Wochenendreise zu machen. Falls die TN verheiratet sind, können sie erzählen, wie sie den ersten Hochzeitstag gefeiert haben. Da das ein sehr persönliches Thema ist, ist das natürlich freiwillig.</td>
<td>Clip 6</td>
<td></td>
</tr>
</table>

Projekt Landeskunde

	FORM	ABLAUF	MATERIAL	ZEIT
1	PL, EA, PA, GA	Zeigen Sie, wenn möglich, eine topografische Karte der Schweiz. Die TN sprechen über die Landschaften, soweit aus der Karte erkennbar, und stellen Vermutungen über das Wetter in der Schweiz an. Fragen Sie gezielt, wie das Wetter in welchen Regionen sein könnte, um für Unterschiede zu sensibilisieren. Dann lesen die TN den Text, sehen die Karte im Buch an und korrigieren die Sätze. Anschließend Kontrolle. *Lösung:* a ~~wärmer~~ kühler; b ~~Sommersaison~~ Wintersaison; c ~~Norden~~ Süden; d ~~im Osten~~ in den Berner Alpen / in der Mitte; e ~~in Ackersand~~ auf dem Säntis Zu zweit schreiben die TN drei falsche Sätze wie im Buch und tauschen sie mit einem anderen Paar. Die Paare besprechen die Korrekturen gemeinsam.	topografische Karte der Schweiz	
2	GA, PL	Die TN bilden in homogenen Kursen Gruppen nach Lieblingsländern, in Kursen mit TN aus verschiedenen Ländern Gruppen nach Heimatländern. Die Gruppen informieren sich im Internet über das Klima und Wetter im jeweiligen Land. Nach dem Muster im Buch erstellen sie ein Plakat und präsentieren es im Kurs. Tipp: Verteilen Sie die Präsentationen auf mehrere Kurstage, damit die TN nicht nach dem dritten Beitrag abschalten. Interessierte TN recherchieren im Internet die tagesaktuellen Temperaturen von Locarno-Monti, dem Säntis, von Ackersand und dem Jungfraujoch. Sie stellen ihre Informationen im Plenum vor oder schreiben sie ins Forum der Lernplattform (Moodle).		

Ausklang

	FORM	ABLAUF	MATERIAL	ZEIT
1	GA, PL, EA	Die Bücher sind geschlossen. Präsentieren Sie zunächst die Bilder zum Lied in der richtigen Reihenfolge (Folie/IWB). In Kleingruppen überlegen die TN sich eine Geschichte zu den Bildern und schreiben sie auf. Anschließend werden einige Geschichten vorgelesen und verglichen. Dann schlagen die TN die Bücher auf und ergänzen den Liedtext. Anschließend hören sie das Lied und kontrollieren sich selbstständig. *Lösung:* (von oben nach unten) an; in; bis; links; bis; durch; am; über; am … vorbei; zu Die TN spekulieren, wie die Geschichte zwischen dem Fahrer und seiner Mitfahrerin weitergeht. Was sagen/machen sie, wenn sie am Strand ankommen?	Bilder auf Folie/ IWB, CD 2.17	

2	GA, PL	In Kleingruppen planen die TN eine Pantomime zu dem Lied. Anschließend hören sie das Lied noch einmal und alle Gruppen spielen ihre Pantomime gleichzeitig. Das Lied ist ausreichend langsam, um zwischendurch Zeit zu haben, zu den anderen Gruppen hinüberzusehen. Alternativ stellen sich die Gruppen so auf, dass sich Fahrende und Erklärende gegenüberstehen. Regen Sie die TN zum Mitsingen ihres Parts an. Tipp: Lassen Sie die TN auch mal einen Text auswendig lernen. Dazu bietet sich der Liedtext gut an, weil er durch die Endreime das Memorieren leicht macht. Überdies stellt dieses Lied Patterns zur Verfügung, die im Gespräch bei einer Weg- oder Ortsbeschreibung später schnell abrufbar sind. In den folgenden Unterrichtsstunden kann das Lied immer wieder einmal vorgespielt werden, die TN singen den gelernten Text mit. Drehen Sie hin und wieder den Ton für ein oder zwei Verse so leise, dass die Melodie gerade noch hörbar ist, aber die TN im Prinzip allein weitersingen müssen.	CD 2.17	

	FORM	ABLAUF	MATERIAL	ZEIT
1	PL	Wiederholung: Geben Sie *Wohin gehen wir heute?* als Assoziogramm an der Tafel vor und an je einem Arm die Beispiele *das Kino* und *das Restaurant*. Die TN notieren weitere Orte, einige kennen sie schon aus den vorhergehenden Lektionen. Achten Sie darauf, dass auch die Artikel der Wörter dazugeschrieben oder Genuspunkte gemalt werden. Die TN sehen sich das Foto an und überlegen, wo die Person ist und was sie macht. Dann hören sie die Lesung und sprechen noch einmal über Sascha und was er macht. *Lösung:* Wo? Konzerthalle; Was? trägt ein Gedicht vor Fragen Sie die TN, ob sie Gedichte mögen und lesen.	CD 2.18	
2	PA	Die TN unterhalten sich zu zweit darüber, welche Veranstaltung sie zuletzt besucht haben und wie sie ihnen gefallen hat. Alternativ oder zusätzlich schreiben sie im Forum der Lernplattform (Moodle) einen Beitrag zu diesen Fragen: *Besuchen Sie gern kulturelle Veranstaltungen? Welche haben Sie in letzter Zeit besucht / wollen Sie in nächster Zeit besuchen?* Geben Sie am Schluss einen zusammenfassenden Kommentar.		
3	EA, PL	a Die TN lesen die Fragen und Antworten und kreuzen – ggf. mit Bleistift – ihre Lösung an, da vielleicht einige Poetry Slams kennen. Dann hören sie das Gespräch und kreuzen an. Anschließend Kontrolle. *Lösung:* 1 Jeder kann Gedichte oder Texte vortragen. Das Publikum stimmt über den besten Text ab. 2 Zum Poetry Slam. Führen Sie ein Kursgespräch zu Poetry Slams und fragen Sie, wer schon einmal auf einem Poetry Slam oder auf ähnlichen Wettbewerben war. Wer hat selbst etwas vorgetragen? Würden die TN zu einer solchen Veranstaltung gehen? Was halten sie davon? usw.	CD 2.19	
	EA, PL	b Die TN lesen die Aussagen und versuchen eine erste Lösung. Dann hören sie das Gespräch noch einmal und kontrollieren oder ergänzen ihre Lösungen. Anschließend Kontrolle. *Lösung:* 1 vom Sport; 2 im Café Kurt; 3 ins Kino; 4 Zum Essen	CD 2.19	
	EA, PL, GA	c Die TN markieren die Präpositionen und Artikel in b. Sie erarbeiten Fragen zu den markierten Satzteilen und notieren sie an der Tafel (*1 Woher kommt Bruno? 2 Wo findet der Poetry Slam statt? 3 Wohin möchte Bruno lieber gehen? 4 Wohin können sie jeden Tag gehen?*). Heben Sie die Fragewörter hervor. Dann ergänzen die TN die Tabelle. Anschließend Kontrolle. *Lösung:* Woher? aus dem, vom; Wo? im; Wohin? ins, zum Erklären Sie anhand der Tabelle (Folie/IWB), dass die lokalen Präpositionen sich bei Orten (hier sind speziell Gebäude gemeint), Aktivitäten und Personen unterscheiden. Machen Sie deutlich, dass bei *in* auf die Frage *Wohin?* der Akkusativ benutzt wird, sonst immer der Dativ. Wiederholen Sie kurz, dass bei Städten und Ländern ohne Artikel auf die Frage *Woher? aus*, auf die Frage *Wo? in* und auf die Frage *Wohin? nach* benutzt wird.	Grammatikkasten auf Folie/ IWB, Plakat, Kärtchen, DIN A4-Zettel, Klebeband, KV L19|3c	

Bei Ländern mit Artikel wird auf die Frage *Woher? aus* + Dativ, auf die Frage *Wo? in* + Dativ und auf die Frage *Wohin? in* + Akkusativ benutzt. Die TN schreiben Beispiele auf ein Plakat, das im Kursraum aufgehängt wird. Dieses bleibt einige Zeit als Hilfestellung für das Üben hängen, die TN entscheiden dann selbst, wann es abgenommen werden kann.

Fragen Sie die TN, wo sie gestern Abend waren, wohin sie heute Abend gehen und woher sie gestern Abend gekommen sind. Ergänzen Sie das Plakat mit Antworten der TN.

Extra: Wenn Sie die lokalen Präpositionen weiter üben möchten, bereiten Sie zu Hause Kärtchen mit den Fragen *Wo? Wohin? Woher?* vor oder nutzen Sie die Fragewortkärtchen der Kopiervorlage. Sie brauchen von jeder Frage mehrere Kärtchen, etwa vier Kärtchen weniger, als Sie TN haben. Dann verteilen Sie an jeden TN ein Blatt Papier. Teilen Sie den Kurs in drei gleich große Gruppen. Die erste Gruppe schreibt gut lesbar jeweils einen Ort auf ihren Zettel, die zweite eine Aktivität und die dritte einen Namen oder eine Personenbezeichnung. Die TN kleben sich mit Klebestreifen den Zettel auf ihren Bauch, sodass er für alle sichtbar ist. Dann stellen sie sich so im Kreis auf, dass nie zwei gleiche Bezeichnungen nebeneinander stehen, also nie Ort neben Ort. Geben Sie ein Fragekärtchen, z.B. *Wohin?*, an den ersten TN. Er beantwortet die Frage, z.B. *Ich gehe ins Kino.* Er gibt das Kärtchen an den zweiten TN, der ebenfalls mit Ort, Person bzw. Aktivität auf seinem Zettel antwortet, z.B. *Ich gehe zum Arzt.* Alle TN achten darauf, dass die Sätze richtig sind, während das Kärtchen immer weitergegeben wird. In der zweiten Runde geben Sie ein anderes Fragekärtchen durch. Machen Sie so mehrere Runden, bis alle ein wenig Sicherheit gewonnen haben. Steigern Sie dann das Tempo, indem Sie eine Karte herumgeben und, sobald die Karte den vierten TN erreicht hat, eine weitere Karte ins Spiel bringen. Wenn es gut läuft, geben Sie immer schneller neue Fragekärtchen in die Runde. Noch mehr Abwechslung entsteht, wenn die TN ihre Zettel mit Ort bzw. Person tauschen.

Extra: Die TN arbeiten zu viert. Verteilen Sie an jede Kleingruppe einen Satz Karten der Kopiervorlage. Die Bildkarten und die Fragewortkarten werden getrennt gemischt und auf den Tisch gelegt. Ein TN deckt eine Bildkarte auf, ein anderer eine Fragewortkarte. Wer von den beiden anderen am schnellsten die Lösung nennt, hat die Runde gewonnen. Variante, auch zur Wiederholung zu einem späteren Zeitpunkt: Zwei Karten werden aufgedeckt und die TN machen einen Dialog dazu, der auch länger werden darf. Regen Sie die TN zu möglichst realistischen Alltagsdialogen an, indem Sie einige Beispiele zu Beginn vorspielen lassen oder mit einem TN selbst vorspielen (*Wann gehst du? Wo ist das denn? Kann ich mitkommen?* usw.).

Tipp: Eine große Hilfe bei Rollenspielen ist es, wenn Sie während der Gespräche herumgehen und gute Formulierungen aus den Gruppengesprächen aufgreifen und an die Tafel schreiben. Die Beispiele dienen weniger kreativen TN als Anregung und Orientierung.

4	PL	a Die TN sitzen im Kreis und spielen das Bewegungsspiel nach dem Muster im Buch.		
	PA, GA	b Die TN schlagen die Aktionsseite auf. Sie schreiben zu zweit sechs Fragen mit *Woher, Wo, Wohin* und tauschen die Fragen mit einem anderen Paar. Die Paare notieren die passenden Antworten und besprechen gemeinsam die Lösungen. Zusätzlich oder alternativ zeichnen die TN zu zweit kleine Bilder wie im Beispiel und tauschen sie mit einem anderen Paar, das dann die Bilder beschreibt. Tipp: Diese Bilder können eingesammelt und später zur Wiederholung genutzt werden. Wenn die TN die Bilder auf Karteikarten oder große Notizzettel zeichnen, können sie passende Satzkarten dazu schreiben (ins Theater, beim Essen) und damit ein Memo-Spiel spielen. Als Wiederholung am nächsten Kurstag schreiben die TN in Kleingruppen möglichst viele Sätze zu dem Bild auf der Aktionsseite. Damit es nicht zu einfach ist, legen Sie eine Mindestanzahl von Wörtern pro Satz fest, z.B. sieben oder acht. Regen Sie die TN auch dazu an, Adjektive und Nebensätze zu benutzen. Anschließend tauschen die Gruppen ihre Sätze und korrigieren sie mithilfe der Kopiervorlage Lektion 17|6c (siehe Tipp Seite 46).	ggf. Karteikarten, KV L17|6c	
5	EA, PL, PA/ GA	a Die TN sehen sich das Bildlexikon an und ergänzen. Anschließend Kontrolle. *Lösung:* 1 Vernissage; 2 Zirkus; 3 Konzert (Ballett) Die TN schreiben drei eigene Rätsel wie in den Beispielen zu Orten aus dem Bildlexikon. Sie tauschen die Rätsel mit einer Partnerin / einem Partner und lösen sie. Anschließend besprechen sie zusammen die Lösungen. Oder ein TN liest dem Plenum sein Rätsel vor. Die anderen notieren ihren Lösungsvorschlag. Anschließend Vergleich. Alternativ spielen die TN in Kleingruppen Pantomime: Ein TN spielt pantomimisch den Ort / die Veranstaltung vor, indem er z.B. so tut, als wandere er von Bild zu Bild. Die anderen raten, wo er gerade ist (Vernissage/Ausstellung/ Museum).		
	EA, PL	b Die TN lesen das Veranstaltungsprogramm und ergänzen die Veranstaltungen. Anschließend Kontrolle. *Lösung:* (von oben nach unten) Stadtspaziergang, Konzert, Tanzen, Theater, Ausstellung, Restaurant Fragen Sie die TN, wohin sie gern / vielleicht / auf keinen Fall gehen würden. Warum? Extra: Interessierte TN recherchieren im Internet, was der Viktualienmarkt ist, wo das Sendlinger Tor und der Stachus sind, und stellen ihre Ergebnisse am nächsten Unterrichtstag vor oder informieren die anderen über eine Lernplattform (Moodle).		

6	EA, PL, GA, PA	a Die Bücher sind geschlossen. Verteilen Sie die Redemittel der Kopiervorlage. Die TN lesen die Redemittel und hören dann noch einmal das Gespräch aus Aufgabe 3a/b. Sie legen die Sätze untereinander, die sie im Gespräch hören. Beim zweiten Hören kontrollieren sie ihre Sätze und die Reihenfolge. Danach spielen sie zu dritt das Gespräch aus dem Gedächtnis und mithilfe der gelegten Sätze nach. Verteilen Sie dann die Rubrikentitel der Kopiervorlage. Die TN ordnen die Redemittel der passenden Kategorie zu. Anschließend Kontrolle. Die TN schlagen die Bücher auf und ergänzen das Gespräch. Anschließend Kontrolle. *Lösung:* (von oben nach unten) Ich habe da einen Vorschlag. Und das ist gut? Das lohnt sich bestimmt. Du hast recht. Zwei TN spielen ein Gespräch vor. Bleiben Sie zunächst beim Beispiel Poetry Slam. Dann spielen die TN zu zweit das Gespräch noch einmal und wählen selbst ihre Redemittel aus den Möglichkeiten aus.	KV L19|6a, CD 2.19	
	PA, ggf. GA	b Die TN wählen eine Veranstaltung aus 5b. Zu zweit spielen sie ein Gespräch nach der Anweisung im Buch. Hilfe finden sie im Dialograster aus a oder sie nutzen die Redemittelkarten der Kopiervorlage. Immer wenn sie ein Redemittel benutzt haben, legen sie es zur Seite. Im nächsten Gespräch nutzen sie dann andere, bis keine Sätze mehr zur Verfügung stehen. Alternativ suchen die TN sich vor dem Gespräch zwei Sätze aus, die sie verwenden möchten, und legen sie vor sich hin. Es kann für diese Aufgabe auch ein Veranstaltungskalender des Kursortes (Inlandskurse) genutzt werden oder über die Homepage der Stadt München ein aktueller ausgedruckt und für die Arbeit im Kurs benutzt werden (Kurse außerhalb der deutschsprachigen Länder). Alternativ planen die TN in Kleingruppen einen Tag in München. Jeder TN überlegt zunächst, was er machen möchte. Dann einigen sich die Gruppenmitglieder auf eine Veranstaltung bzw. Sehenswürdigkeit, indem sie über ihre Vorschläge nach dem Muster aus a sprechen.	KV L19|6a, ggf. Veranstaltungskalender des Kursortes	
7	EA, PL, PA	a Die TN lesen das Gedicht und ergänzen die Fragewörter. Danach hören sie es und vergleichen. Anschließend Kontrolle. *Lösung:* (von oben nach unten, links nach rechts) Wo, Woher, Wohin, Wo, Woher, Wohin, Wo, Woher, Wohin Sprechen Sie mit den TN über die Situation des Ichs in dem Gedicht. Ist es glücklich? Warum (nicht)? Was ist mit seiner Partnerin? Extra: Die TN schreiben zu zweit kurze Antworten zu den Fragen. Alle Antworten sollen mit *Ach, nur …* beginnen. Einige können vorgespielt werden, indem einer laut und deutlich die Fragen liest, der andere leise die Antworten flüstert. Oder umgekehrt: Der eine fragt leise, der andere antwortet laut und selbstbewusst.	CD 2.20	
	EA/PA	b Die TN schreiben allein oder zu zweit eine eigene Strophe zu dem Gedicht. Wenn sie Lust haben, auch mit Antworten.		

EA/ PA, PL	c Geben Sie den TN Zeit, ihre Strophe einzuüben. Danach werden die Strophen wie in einem Poetry Slam vorgetragen. Extra: Tragen Sie als Einstieg selbst ein Gedicht bzw. Ihr Lieblingsgedicht eines deutschen Dichters vor. Erklären Sie, worum es in dem Gedicht geht. Fragen Sie die TN, ob sie ein Lieblingsgedicht haben. Wer möchte, kann sein Lieblingsgedicht in seiner Muttersprache vortragen. Vielleicht finden die TN dazu eine Übertragung ins Deutsche im Internet? Diese kann ebenfalls vorgetragen und besprochen werden. Da das etwas Vorbereitungszeit braucht, kann das auch Einstiegsthema in einer neuen Unterrichtsstunde sein.		

	FORM	ABLAUF	MATERIAL	ZEIT
1	EA, PL	Zeigen Sie das Foto und die Aufgabe (Folie/IWB). Die TN lesen die Aufgabe und das Beispiel. Geben Sie ihnen eine feste Zeit vor, z.B. fünf Minuten, um über ihr Leseverhalten nachzudenken und einen kurzen Text darüber zu schreiben. Dann stehen alle TN auf. Ein TN liest seinen Text vor und darf sich setzen. Dann lesen die TN vor, die den gleichen Lieblings-Leseort haben, und setzen sich ebenfalls. Ein TN mit einem anderen Leseort trägt seinen Text vor usw. Wer hat den originellsten Leseort? Fragen Sie die TN, was ihr schönstes Leseerlebnis an einem Leseort war, z.B. einen Venedig-Krimi auf dem Markusplatz lesen oder Patricia Highsmiths *Zwei Fremde im Zug* auf einer langen Zugfahrt.	Foto/ Aufgabe auf Folie/ IWB	
2	PA, PL	Die TN sprechen zu zweit über die Situation auf dem Foto. Was liest die Frau wohl? Wo liest sie? Wie lange ist sie unterwegs (und hat Zeit zu lesen)? Fragen Sie auch, ob die TN in öffentlichen Verkehrsmitteln lesen. Dann wird das Hörbild gehört, die TN kreuzen an. Anschließend Kontrolle. *Lösung:* richtig: c Fragen Sie noch einmal, was die Frau liest (Liebesgeschichte, Roman).	CD 2.21	
3	PA, PL, EA	a Extra: Bringen Sie Lesestoff aus unterschiedlichen Genres mit, wenn möglich auch die Genres aus dem Bildlexikon, und legen Sie sie im Kursraum aus. Beschriften Sie, auch mit Genuspunkt, was die TN vom Wort her noch nicht kennen. Die Bücher sind geschlossen. Die TN legen in ihren Heften eine Tabelle mit drei Spalten an: Kinder, Jugendliche, Erwachsene. Dann gehen sie zu zweit herum und tragen die ausgelegten Bücher, Zeitungen, Texte in die Tabelle ein. Mehrfachnennungen sind möglich. Alternativ tragen sie zu zweit die Begriffe aus dem Bildlexikon in die Tabelle ein. Anschließend Besprechung im Plenum. Fragen Sie nach weiteren Genres (z.B. *Fantasy*) und danach, wohin sie in der Tabelle gehören. Extra: Die TN sehen sich eine Minute lang die Wörter im Bildlexikon an und prägen sie sich ein. Dann werden die Bücher geschlossen und die TN lösen das Zahlenrätsel der Kopiervorlage. Dabei muss jeder Zahl ein Buchstabe des Alphabets zugeordnet werden. Diese Übung ist auch am nächsten Kurstag als Wiederholung geeignet. Legen Sie bei Bedarf ein aufgeschlagenes Kursbuch im Raum aus. Nur in diesem Buch dürfen die TN sich Hilfe holen, das heißt, sie müssen ggf. aufstehen, nachsehen und zum Platz zurückgehen. Die TN schlagen ihr Buch auf. Sie überfliegen die Texte und notieren das Lieblingsbuch (Genre) der Personen. Anschließend Kontrolle. *Lösung:* A Comic; B Bilderbuch; D Roman Wiederholung: Anhand von *Bilderbuch* und *Kinderbuch* kann die Bildung von Komposita (Nomen + Nomen) wiederholt werden. Die TN sammeln weitere mögliche Komposita aus dem Buchbereich, z.B. *Liebesgeschichte, Kriminalroman* usw.	ggf. Lesestoff/ Bücher aus unterschiedlichen Genres, KV L20|3a	

	EA, PL	b Die TN lesen die Texte noch einmal und notieren, zu wem die Aussagen passen. Anschließend Kontrolle. *Lösung:* Julius: 1; Anton: 2, 5; Anita: 3, 7; Lucy: 6, 8 Kennen die TN eines der genannten Bücher oder eine der Figuren und können etwas darüber erzählen? Wiederholung: Wenn Sie den Satzbau trainieren möchten, teilen Sie den Kurs durch vier. Die TN aus der ersten Gruppe schreiben einen beliebigen Satz aus Text A ab und schneiden ihn auseinander, TN der zweiten Gruppe aus Text B usw. Dann geben sie ihren Satz weiter zu ihrer rechten Nachbarin / ihrem rechten Nachbarn. Nun wird der Satz wieder zusammengesetzt. Wieder wird der Satz nach rechts weitergegeben usw. Stoppen Sie, wenn jeder TN drei Sätze zusammengesetzt hat. Extra: Verteilen Sie die Kopiervorlage. Die TN ergänzen im ersten Text die Artikel, im zweiten Text müssen die Verben in der richtigen Form eingesetzt werden und im dritten Text sind Nomen vertauscht. Die Aufgaben werden von A nach C schwieriger, können also auch binnendifferenzierend genutzt werden. Die TN vergleichen ihre Lösungen selbstständig mit den Texten im Buch. Lediglich in B, beim Einsetzen der Verben, ist es möglich, dass die TN Alternativen finden. Besprechen Sie diese Varianten. Als Aufwärmübung in der nächsten Unterrichtsstunde bietet sich folgende Laufübung an: Legen Sie im Kursraum eine *Ich-auch*-Ecke, eine *Ich-nicht*-Ecke und eine *Weiß-nicht*-Ecke fest. Lesen Sie ein Statement von Julius, Anton, Lucy oder Anita vor (z.B. *Als ich noch nicht selber lesen konnte, habe ich mir gern Bilderbücher angeschaut.*). Die TN entscheiden sich für eine Ecke. Zwei oder drei Freiwillige erzählen kurz, warum sie sich für diese Ecke entschieden haben. Wiederholen Sie die Übung mit drei bis vier weiteren Statements.	KV L20|3b	
4	EA, PL, GA	a Die TN markieren zunächst die Modalverben in den Texten in 3a und schreiben den Infinitiv an den Rand. Zeigen Sie die Texte (Folie/IWB) und besprechen Sie die Lösung. Dann ergänzen die TN die passenden Modalverben im Präteritum, Hilfe finden sie im Grammatikkasten und in den Texten. Anschließend Kontrolle. *Lösung:* 2 musste; 3 wollte; 4 sollte Erklären Sie, dass das Präteritum der Modalverben auch in der gesprochenen Sprache benutzt wird. Das sonst in der mündlichen Kommunikation gebräuchliche Perfekt kommt mit Modalverben seltener vor. Das -t- als Kennzeichen für das Präteritum kennen die TN schon von *hatte*. Konjugieren Sie trotzdem die Modalverben einmal durch. Weisen Sie die TN auch auf die Satzstellung hin, im Hauptsatz steht das Modalverb auf Position 2, der Infinitiv am Ende.	Texte aus 3 auf Folie/ IWB, große Zettel	

	Die TN bauen möglichst lange Sätze. Geben Sie ein konjugiertes Modalverb im Präteritum vor, z.B. *wolltet*. Schreiben Sie es auf einen Zettel und stellen Sie sich damit vor die Klasse. Ein TN, der ein passendes Subjekt sagt, schreibt es auf und stellt sich dazu, dann kommen der Infinitiv, eine Zeit, ein oder mehrere (Präpositional-)Objekte, wenn möglich weitere Personen usw. Wenn es keine Verlängerung mehr gibt, geben Sie ein neues Modalverb vor und der Satzbau beginnt von Neuem. Sie können die Zettel zur Wiederholung in einer späteren Stunde noch einmal austeilen. Die TN setzen die Sätze zusammen. Die TN machen sich Notizen zu ihrem Lieblingsbuch aus der Kindheit. In Kleingruppen erzählen sie darüber. TN, die nicht gern gelesen haben, können alternativ über ein Hörbuch oder einen Kinderfilm sprechen. Moodle-Tipp: Diese Aufgabe kann auch auf die Lernplattform verlagert werden. Die TN schreiben im Forum einen Beitrag über ihr Lieblingsbuch aus der Kindheit. Jeder kommentiert mindestens einen Beitrag. Beteiligen Sie sich ebenfalls.		
PL, GA	b Die TN schlagen die Aktionsseite auf und lesen die Aktivitäten. Machen Sie mit einigen TN Beispieldialoge. Erinnern Sie auch an die Wortstellung bei Ja-/Nein-Fragen. Die TN gehen herum und befragen sich. Sie dürfen nur dann einen Namen notieren, wenn die Antwort positiv ist. Wer hat zuerst sechs Felder waagerecht, senkrecht oder diagonal mit Namen versehen? Zusätzlich erzählen die TN im Plenum, was sie über einen bestimmten TN erfahren haben: *Erika durfte als Kind schon allein verreisen.* Ein anderer TN ergänzt, was er über Erika weiß, usw. Extra: Verteilen Sie an jede Kleingruppe einen Satz Kärtchen der Kopiervorlage. Die TN mischen die Kärtchen und legen sie verdeckt aus. Jede Gruppe sollte eine Uhr mit Sekundenanzeige haben. Ein TN aus der Kleingruppe zieht ein Kärtchen. Er erzählt eine halbe Minute über das Thema auf der Karte. Ein anderer behält die Uhr im Auge. Die übrigen Gruppenteilnehmer dürfen mit Fragen helfen. Dann zieht der nächste TN ein Kärtchen usw. In erzählfreudigen Kursen kann die Erzählzeit höher angesetzt werden. Moodle-Tipp: Legen Sie eine Wiki-Aktivität an: *Was konnten/durften/mussten/sollten/wollten Sie als Kind und in Ihrer Jugend?* Ein TN beginnt, schreibt eine Antwort und gibt dann die Frage an einen anderen weiter.	KV L20|4b, Uhren mit Sekundenzeiger	
5 EA, PA, PL	a Die TN sehen sich die Fragen im Kommunikationskasten an. Mögliche Antworten zu diesen Fragen stehen im Auswahlkasten. Die TN tragen die Sätze aus diesem Kasten in eine Tabelle nach dem Muster im Buch ein. Anschließend vergleichen sie zu zweit, dann gemeinsame Kontrolle (Folie/IWB).	Folie/IWB, Ball	

	Lösung: <table><tr><td>☺</td><td>😐</td><td>☹</td></tr><tr><td>Ja, und wie! Das interessiert mich sehr. Doch, ich habe großes Interesse daran. Sicher! Ich liebe ...</td><td>Na ja, es geht. Nicht besonders.</td><td>Nein, lieber ... Das interessiert mich überhaupt nicht. Nein, ... finde ich ehrlich gesagt langweilig. Ratgeber/... finde ich furchtbar.</td></tr></table> Sprechen Sie die Wendungen mit deutlicher Intonation (Begeisterung, Desinteresse) vor. Die TN wiederholen zunächst im Chor. Stellen Sie dann einzelnen TN eine beliebige Frage aus dem Kommunikationskasten, zeigen Sie auf eine Antwort (Folie/IWB). Ein TN spricht die Antwort mit möglichst guter Intonation. Dann stellen die TN sich im Kreis auf und werfen sich einen Ball zu. Die werfende Person stellt eine Frage: *Liest du gern ...?* Die fangende Person antwortet mit möglichst ausdrucksstarker Intonation, stellt ihrerseits eine Frage usw.		
EA, PA	b Die TN ergänzen für sich den Fragebogen. Danach sprechen sie in Partnerarbeit darüber. Dabei achten sie auch auf die Intonation. Extra: Die TN schreiben einen Text über ihre Lesegewohnheiten und korrigieren ihn mithilfe der Kopiervorlage Lektion 17|6c. Lerngewohnte TN können aus ihrem Text auch einen Lückentext oder einen Text mit fehlenden Artikeln oder vertauschten Wörtern machen. Er wird dann für alle kopiert. Moodle-Tipp: Stellen Sie ein Thema auf der Lernplattform: *Lesen Sie Romane lieber in Buchform, auf Ihrem PC oder als E-Book? Oder hören Sie Romane als Hörbuch?* Die TN schreiben einen Text und laden diesen Text hoch.	ggf. KV L17|6c	

6	EA	a Lassen Sie die Arbeitsanweisungen und das Beispiel im Buch vorlesen. Die TN überlegen, welches Buch ihnen so gut gefallen hat, dass sie es den anderen empfehlen möchten, und machen sich Notizen nach dem Muster im Buch. TN, die nicht gern lesen, können einen Filmtipp geben.		
	EA	b Die TN schreiben eine Empfehlung auf ein Plakat. Dazu können sie z.B. das Cover aus dem Internet ausdrucken oder das Cover kopieren. Da es sich in der Regel um muttersprachliche Bücher handeln wird, sollten sie auch recherchieren, ob es das Buch in deutscher Sprache gibt, wie der Titel auf Deutsch heißt, und das deutsche Cover ausdrucken. Moodle-Tipp: Bei Zeitmangel können die TN ihre Empfehlungstexte ins Glossar stellen und ihn mit einem Link zu einer Internetbuchhandlung oder zum Verlag versehen. So können sich alle das Cover ansehen und vielleicht sogar den Klappentext auf Deutsch lesen.		

EA, GA, PL	c Die Plakate werden aufgehängt. Die TN sehen sie sich an und wählen bis zu drei Titel, die sie interessieren. In Kleingruppen sprechen sie darüber: *Warum interessiert Sie das Buch? Wann wollen Sie es lesen?* Verteilen Sie an die TN je drei Klebepunkte. Die TN kleben sie auf die Plakate der Bücher, die sie lesen möchten. Wer nur ein Buch wirklich interessant findet, vergibt alle seine Punkte dafür. Welches Buch findet das größte Interesse im Kurs? Extra: Die TN schreiben in Kleingruppen ein modernes Märchen. Verteilen Sie zur Anregung die Kopiervorlage. Natürlich können die TN auch ein ganz eigenes Märchen erfinden und schreiben. Die Texte werden mithilfe der Kopiervorlage Lektion 17|6c korrigiert und dann im Kurs ausgehängt oder auf mehrere Kurstage verteilt vorgelesen. Oder die TN tippen ihr Märchen sauber ab und schmücken es mit Zeichnungen. Dann werden die Märchen für alle kopiert und mit einem Faden zu einem Kurs-Märchenbuch zusammengeheftet.	Klebe- punkte, KV L20|6c, ggf. KV L17|6c	

	FORM	ABLAUF	MATERIAL	ZEIT
1	PL	a Die TN sehen sich das Foto an und spekulieren darüber, was passiert ist, wen der Mann anruft. Klären Sie während des Gesprächs neue Vokabeln (*Einbruch, Autounfall, Feuerwehr, Notarzt, Versicherung*).		
	PL	b Die TN hören das Gespräch und vergleichen mit ihren Vermutungen aus a. *Lösung:* Einbruch; Anruf bei der Polizei Fragen Sie, was Herr Abelein wohl als Nächstes macht. Was würden die TN in dieser Situation tun?	CD 2.22	
2	PL, PA	Die TN nennen weitere Wörter zum Wortfeld *Einbruch* (*einbrechen, aufbrechen, Scheibe einschlagen, stehlen* usw.) und *Autounfall* (*Blechschaden, bremsen* usw.). Helfen Sie ggf. mit Wort-Erklärungen. TN, die schon einmal einen Einbruch oder Autounfall erlebt haben, erzählen davon. Extra: Die TN arbeiten zu zweit und erzählen sich gegenseitig von einem Einbruch. Sie sammeln vorher mögliche Reaktionen der Zuhörer, die Mitleid oder Sorge ausdrücken (siehe *Menschen A2*, Lektion 8): *Was ist los? Ist alles in Ordnung? Oje, das tut mir aber leid. Das ist ja schrecklich. Hoffentlich fehlt nichts.* usw. Ein TN erzählt von Herrn Abeleins Einbruch in der Ich-Form. Die Partnerin / Der Partner erzählt von einem fiktiven Einbruch in ihre/seine Wohnung am letzten Sonntag, als sie/er *Tatort* geguckt hat. Moodle-Tipp: TN, denen schon einmal etwas gestohlen wurde, schreiben einen Text darüber und senden ihn über die Lernplattform an Sie.		
3	EA, PL, PA	Die TN sehen sich das Bildlexikon zwei Minuten lang an und schließen dann das Buch. Nennen Sie ein Dokument. TN, die dieses dabeihaben, stehen auf. Fragen Sie zwei TN, warum sie dieses Dokument bzw. diese Karte heute mitgenommen haben bzw. ob sie diese immer bei sich haben. Fragen Sie auch zwei der sitzenden TN, warum sie dieses Dokument bzw. diese Karte nicht dabeihaben. Nennen Sie dann ein weiteres Dokument. Führen Sie ein Gespräch über diese Dokumente/Karten. Finden die TN sie praktisch/lästig? Welche brauchen sie / brauchen sie nie? Was haben die TN beim Sport dabei? Wann lassen sie alles zu Hause? Erklären Sie, was eine Gesundheitskarte ist. Landeskunde: In Deutschland haben alle, die gesetzlich krankenversichert sind, eine Krankenversicherungskarte bzw. Gesundheitskarte. Darauf sind persönliche Daten wie Name, Adresse, Versicherungsnummer gespeichert. Beim Arztbesuch muss die Gesundheitskarte vorgelegt werden, allerdings nur beim jeweils ersten Arztbesuch pro Quartal. Extra: Verteilen Sie die Kopiervorlage für einen weiteren Redeanlass. Die TN beantworten die Fragen in Stichworten zunächst für sich selbst. Dann fragen sie ihre Partnerin / ihren Partner und machen sich Notizen. Abschließend oder als Hausaufgabe können sie einen Text schreiben, indem sie sich und die Partnerin / den Partner vergleichen. Lernungewohnte TN schreiben nur einen Text über sich.	KV L21|3	

4	PA, PL	a Die TN decken b mit einem Zettel / ihrem Heft ab. Sie sehen sich zu zweit das Foto an und überlegen, wo Herr Abelein ist und was er dort macht. Zusätzlich können sie überlegen, welche Fragen die Polizistin wohl stellt. Beim Zusammentragen im Plenum sollten die Fragen als indirekte Fragen gestellt werden. Geben Sie dazu die Einleitungen vor: *Die Polizistin fragt / möchte wissen, ...* Wiederholen Sie bei Bedarf Nebensätze mit *ob*. Dann lesen die TN die Fragen. Erklären Sie *Täter* und ggf. *stehlen*, falls Sie die Wörter in 2 nicht schon eingeführt haben. Die TN hören das Gespräch so oft wie nötig und notieren die Antworten. Anschließend Kontrolle. *Lösung:* 1 Bei der Polizei. 2 Ja. 3 Herrn Abeleins Geldbeutel mit 240 Euro, zwei EC-Karten und einer Kreditkarte.	CD 2.23
	EA, PL, GA, PA	b Die TN decken b auf und versuchen eine Zuordnung aus dem Gedächtnis. Dann hören sie das Gespräch noch einmal und vergleichen. Anschließend Kontrolle. *Lösung:* 2 ... und das Auto abgesperrt. 3 ... hat er einen Mann mit einem Hammer gesehen. 4 ... die Geldbörse gestohlen und ist weggelaufen. 5 ... hatte ein schmales Gesicht und dunkle Haare. 6 ... 240 Euro in bar, zwei EC-Karten und eine Kreditkarte. 7 ... Herrn Abelein ein paar Fotos. 8 ... und kann der Polizistin sagen, wer es war. Wiederholen Sie anhand von Satz 5 weiteren Wortschatz zur Personenbeschreibung (*blonde, lockige, glatte Haare, dick, dünn, schlank* usw.). In Kleingruppen beschreibt ein TN einen anderen. Die anderen aus der Gruppe raten, um wen es sich handelt. Extra: Die TN hören und lesen mehrmals konzentriert Herrn Abeleins Geschichte. Dann schließen sie die Bücher. Zu zweit erzählen sie die Geschichte noch einmal. Die Paare können sie auch nacheinander erzählen, der erste erzählt in der Ich-Perspektive, der zweite in der dritten Person. Lerngewohnte TN können eine Version aus der Sicht des Täters versuchen.	CD 2.23
	PL, PA, EA, GA	c Die TN hören das Gespräch aus a noch einmal (ab 1:30) und achten auf die Intonation. Zwei TN lesen den Gesprächsausschnitt vor und machen passende Gesten dazu (Zeigen, Kopfschütteln usw.). Dann spielen die TN zu zweit das Gespräch mehrmals mit wechselnden Rollen, dabei achten sie auf die Intonation und auf die passenden Gesten. Die TN markieren *welch-* und *dies-*, *der* und *den* im Buch und ergänzen die Tabelle. Anschließend Kontrolle. *Lösung:* (von links nach rechts) Welcher? – Dieser/Der da; Welchen? – Den Erklären Sie anhand der Tabelle den Frageartikel *welch-* und die Demonstrativpronomen *dies-*, bzw. *der, das, die*. Markieren Sie die Endungen und machen Sie anhand eines Tafelbildes deutlich, dass der Frageartikel und das Demonstrativpronomen dieselbe Endung haben wie der Artikel des Nomens, auf das sie sich beziehen. Ergänzen Sie die Tabelle auch um den Dativ.	CD 2.23, KV L21|4c

		Ich glaube, der (Mann) war es. – Welcher (Mann) denn? Welchen (Mann) meinen Sie? – Ich meine den (Mann) mit der Nummer vier. Das Auto war es. – Welches (Auto) denn? ... Die TN stehen in Kleingruppen um einen Tisch. Jeder TN legt vier oder fünf Gegenstände auf den Tisch. Das kann eine Uhr, ein Handy, die Geldbörse, ein Radiergummi, ein Ausweis, ein Heft sein. Es sollten in jeder Gruppe und von jedem TN möglichst verschiedene Gegenstände sein. Geben Sie an der Tafel die Frage *Welch- ... gehört dir?* vor. Die TN befragen sich gegenseitig und antworten mit Demonstrativpronomen (*Diese. / Die da.*). Wer nach seinem Gegenstand gefragt wurde, darf diesen wieder an sich nehmen. Nach einiger Zeit geben Sie *Welch- ... hast du auf den Tisch gelegt?* vor. Die TN legen ihre Gegenstände erneut aus. Sie fragen so lange, bis der Tisch wiederum leer ist. Moodle-Tipp: Legen Sie eine Wiki-Aktivität an. Die TN sollen gemeinsam eine Geschichte anhand von vorgegebenen Wörtern erzählen (*Hammer, Polizei, Täter, stehlen, ...*). Beginnen Sie mit dem ersten Satz, die TN schreiben weiter. Extra: Verteilen Sie die Kopiervorlage. Die TN arbeiten zu zweit. Abwechselnd beschreiben sie eine Person und raten, wer der „Täter" ist.		
5	EA, PL, PA	Erklären Sie die Begriffe *Verdächtiger, Alibi, Zeugen*. Die TN schlagen die Aktionsseite auf und ergänzen die Befragung mit den Sätzen aus dem Auswahlkasten. Anschließend Kontrolle. *Lösung:* (von oben nach unten) Wo waren Sie ...; Gibt es dafür Zeugen? Was haben Sie gemacht? Worüber haben Sie gesprochen? Wann und wie sind Sie ...; Erzählen Sie doch mal! In Partnerarbeit lesen die TN das Gespräch mehrmals. Dann wählen die TN zwei Personen aus dem Kurs. Einer ist der Täter und der andere gibt ihm ein Alibi, das die beiden vor der Tür des Kursraums absprechen. Die anderen sind die Polizisten und überlegen, was sie fragen wollen. Dann werden die beiden TN nacheinander in den Raum geholt und befragt. Begrenzen Sie die Zeit der Befragungen.		
6	EA, PL	a Die TN überfliegen den Flyer und notieren, was man machen sollte, um einen Einbruch zu verhindern, bzw., wie man nach einem Einbruch vorgehen sollte. Alternativ bleiben die Bücher noch geschlossen. Die TN schreiben untereinander *Vor dem Einbruch* und *Nach dem Einbruch*. Lesen Sie die Tipps in willkürlicher Reihenfolge, aber mit der Nummer, vor. Die TN notieren die Nummer zur passenden Kategorie. Anschließend Kontrolle. *Lösung:* vorher: 1–6; nachher: 7–10		

	Sozialform	Ablauf	Material	Zeit
	EA (PA), GA	b Die TN lesen die Tipps noch einmal und markieren, was sie ebenfalls tun, um gegen Einbrüche gewappnet zu sein. Sie überlegen sich weitere Tipps und notieren sie. Die TN können auch zu zweit arbeiten. Anschließend sprechen sie in Kleingruppen über ihre Tipps, indem diese direkt formuliert werden: *Legen Sie…*		
	EA, PL, PA	c Die TN lesen Tipp 6 noch einmal und kreuzen an. Anschließend Kontrolle. *Lösung:* Ich leere meinen Briefkasten. – Das mache ich selbst. Ich lasse meinen Briefkasten leeren. – Das machen andere für mich. Weisen Sie auf den Vokalwechsel von *lassen* hin und konjugieren Sie das Verb einmal durch. Schreiben Sie das Beispiel der Aufgabe an die Tafel und markieren Sie die Satzklammer. Die TN sagen, was sie noch von anderen machen lassen, wenn sie länger weg oder im Urlaub sind. Notieren Sie die Vorschläge an der Tafel. Extra: Verteilen Sie die Kopiervorlage. Stellen Sie sicher, dass alle Wörter bekannt sind. Dann arbeiten die TN zu zweit und überlegen, was sie wen machen lassen. Diese Kopiervorlage kann auch zu einem späteren Zeitpunkt als Wiederholung eingesetzt werden.	KV L21|6c	
7	GA	Die TN schlagen die Aktionsseite auf. In Kleingruppen erstellen sie Kärtchen zu den Tätigkeiten, dabei ist es ihnen freigestellt, ob sie schreiben oder zeichnen. Jede Gruppe sollte noch drei bis fünf eigene Ideen hinzufügen. Die Karten werden gemischt. Reihum ziehen die TN eine Karte und sprechen über das Thema: Machen sie es selbst oder lassen sie es machen? Von wem?	Blanko-Kärtchen	
8	EA	a Die TN notieren drei Tätigkeiten, die sie gern von anderen machen lassen würden.		
	PL	b Zwei TN lesen das Beispiel im Buch vor. Die TN suchen andere TN im Kurs, die die Aufgaben für sie erledigen. Gleichzeitig müssen sie sagen, was sie als Gegenleistung anbieten. Wenn zwei sich einigen, notieren sie die Namen, wenn nicht, muss weitergesucht werden. Wer findet in fünf Minuten die meisten Tauschpartner? Abschließend Kursgespräch darüber, welche Arbeit am schlechtesten zu tauschen war, sprich, was die meisten TN nicht gern machen. Moodle-Tipp: Die TN berichten im Forum, welche Tätigkeiten sie immer selbst übernehmen, welche sie von anderen machen lassen und welche sie selbst machen, aber gern an andere abtreten würden. Jeder reagiert auf mindestens zwei Beiträge.		

Lesemagazin

	FORM	ABLAUF	MATERIAL	ZEIT
1	PL, EA, ggf. GA	Die Bücher sind geschlossen. Die TN machen zunächst ein Brainstorming zu *James-Bond*-Filmen: *Was sind das für Filme? Wie heißen die Schauspieler?* usw. Hier geht es noch nicht um Meinungsäußerungen, sondern nur um Vorwissen. Dann lesen die TN die Meinungen und kreuzen an, wer was sagt. Anschließend Kontrolle. *Lösung:* Christian: b, e; Nina: d; Rike: a; Jörg: c, f Tipp: Um die TN zum intensiven Lesen und Austausch über die Texte zu motivieren, bilden Sie Expertengruppen. Jede Gruppe liest nur einen Text und klärt Verständnisfragen. Die Gruppenmitglieder sollen den Text so gut kennen, dass sie den Inhalt wiedergeben können. Am besten kopieren Sie die Texte so, dass jeder nur seinen Text bekommt. Sammeln Sie die Texte nach dem Lesen wieder ein. Dann setzen Sie neue Gruppen zusammen, in der aus jeder Expertengruppe ein Experte sitzt, also Vierergruppen. Jede Gruppe erhält eine Placemat (Kopiervorlage). Jeder TN der Gruppe schreibt den Namen „seiner" Person in ein Feld und notiert in Stichworten deren Meinung zum *James-Bond*-Film. Danach berichten sich die TN in der Gruppe mithilfe der Stichworte. Erst dann schlagen sie die Bücher auf, decken die Texte ab und kreuzen mit Bleistift an, wer was gesagt hat. In der nächsten Phase lesen sie alle Texte und überprüfen ihre Ergebnisse. Verständnisfragen können noch einmal in der Kleingruppe geklärt werden.	ggf. Kopien des Textes, KV L16|1	
2	PL/ GA	Je nach Kursgröße unterhalten sich die TN in Kleingruppen oder im Plenum über *James-Bond*-Filme. Stellen Sie, wenn nötig, Fragen, z.B. wann die TN zuletzt einen *James Bond* gesehen haben, wo (Kino, zu Hause), mit wem usw., um das Gespräch in Gang zu bringen. Extra: Damit die TN sich einmal selbst hören und die eigene Aussprache, Intonation, das Sprechtempo kennenlernen, werden Interviews aufgenommen. Die TN bereiten ihre Meinung über *James-Bond*-Filme in Stichworten vor. In Kleingruppen spielen sie die Interviewsituation aus dem Buch nach, indem ein TN die Frage stellt. Die Antworten werden z.B. mit dem Smartphone aufgenommen. Anschließend hören die Gruppen sich die Interviews an und wählen das Beste aus. Jede Gruppe stellt dieses Interview im Plenum vor und begründet, warum dies das Beste war (Aussprache, Begründung der Meinung, lustige Argumente usw.). Die Aufnahmen können Ausgangspunkt für das Aussprachetraining sein. Üben Sie mit den TN Intonation und Artikulation mithilfe der Aussprache-Übungen im Arbeitsbuch.		

Film-Stationen

	FORM	ABLAUF	MATERIAL	ZEIT
1	PL, GA	Die TN stellen sich vor, sie planten ein romantisches Wochenende zu zweit. In Kleingruppen oder im Plenum erzählen sie, wohin sie fahren würden. Alternativ bringen Sie Fotos von Landschaften und schöne Stadt-Bilder mit und hängen Sie sie im Kursraum auf oder nutzen Sie die Kopiervorlage. Die TN stellen sich zu dem Ort, an dem sie ein romantisches Wochenende verbringen würden. Hängen Sie auch ein leeres Blatt Papier auf für die TN, die eine ganz andere Idee haben. Die TN erzählen, wofür sie sich entschieden haben und warum. In Kleingruppen erarbeiten die TN fünf Tipps für ein gelungenes romantisches Wochenende. Geben Sie TN, die sich schwertun, einige anregende Fragen: *Was sollte man unbedingt / auf keinen Fall tun? Worauf sollte man achten? Was sollte man mitnehmen?* Die Tipps werden im Plenum vorgestellt. Tipp: Bringen Sie Abwechslung und Spaß in den Unterricht, indem die TN Tipps zum Gegenteil schreiben dürfen, hier: *Was sollte man tun, damit das Wochenende garantiert misslingt?*	Fotos von Landschaften, Städten usw. oder KV L17|4d	
2	PL	a Fragen Sie die TN, was im letzten Film passiert ist (Clip 6). Was haben die beiden Frauen geplant? Dann lesen die TN die Sätze, sehen den Film (es genügt bis 2:21) und kreuzen an. Anschließend Kontrolle. *Lösung:* richtig: 2; 3	Clip 7	
	EA, PL	b Die TN lesen die Aussagen und ergänzen die Lücken, Hilfe finden sie im Auswahlkasten. Danach sehen sie den ersten Teil des Films noch einmal und vergleichen. Anschließend Kontrolle. *Lösung:* 1 alte; 2 schnelle; 3 Hobby; 4 Beruf; 5 Schreiner; 6 Werkstatt; 7 Kleiderschrank Sprechen Sie mit den TN über Autos. Für welche Autos interessieren sie sich? Wie finden sie Christians Hobby?	Clip 7	
3	EA, PL	a Die TN lesen die Aussagen und kreuzen an, was richtig ist. Dann sehen sie den zweiten Teil des Films (ab 3:08 oder ab 2:22, falls sie den ganzen Film noch nicht gesehen haben) und vergleichen. Anschließend Kontrolle. *Lösung:* 1 Autofahrt; 2 In Österreich; 3 Hamburg; 4 zum Glück noch ein Zimmer frei.	Clip 7	
	PL/ GA	b Die TN spekulieren, wie die Geschichte weitergeht. Erinnern Sie ggf. an Lenas und Melanies Pläne aus Clip 6.		

Projekt Landeskunde

	FORM	ABLAUF	MATERIAL	ZEIT
1	PL, EA, PA	Schreiben Sie die Überschrift *Lesen macht klug!* an die Tafel. Die TN diskutieren darüber. Formulieren Sie die These alternativ negativ (*Lesen macht dumm*), um die TN zu „provozieren". Die TN schlagen die Bücher auf und lesen den Text. Klären Sie, wenn nötig, Vokabelfragen. Viele der neuen Wörter sind Internationalismen und können erschlossen werden. Die TN kreuzen ihre Lösungen an. Anschließend Kontrolle. *Lösung:* richtig: a, e; falsch: b, c, d Die TN schließen die Bücher und fassen in eigenen Worten zu zweit zusammen, um was für ein Projekt es sich handelt. Sprechen Sie mit den TN über das Projekt. Wie finden die TN es?		
2	GA	a Stellen Sie sicher, dass alle verstanden haben, was ein *Ehrenamt* ist. Die TN finden sich zu Interessengruppen oder – in heterogenen Kursen – zu Ländergruppen nach Herkunftsland zusammen. Die Kleingruppen recherchieren im Internet und machen Notizen zu den Fragen im Buch. Zu 3 sollte jeder aus der Gruppe seine Meinung sagen.		
	GA, PL	b Die Kleingruppen schreiben einen kurzen Text zu ihrem Projekt und präsentieren das Projekt im Kurs. Tipp: Präsentation mal anders: Die Kleingruppen schreiben ihren Text am Computer und drucken ihn aus. Entwerfen Sie eine „Beitrittserklärung", in welche die TN ihren Namen und das Lieblingsprojekt eintragen können. Die Texte der Gruppen werden im Kursraum ausgehängt oder als Handzettel herumgereicht. Die TN informieren sich über die Projekte der anderen. Am Ende darf jeder TN eine Beitrittserklärung zu seinem Lieblingsprojekt unterschreiben. Werten Sie im Kurs aus, welches Projekt die meisten Beitritte verzeichnen konnte und warum wohl.	„Beitrittserklärung"	

Ausklang

	FORM	ABLAUF	MATERIAL	ZEIT
1	EA, PL	Die TN lesen den Liedtext und ergänzen mithilfe der Zeichnungen die Lücken. Dann hören sie das Lied und vergleichen. *Lösung:* (von oben nach unten) weinen, lachen, singen, hören, waschen, kochen, backen, putzen	CD 2.24	
2	PL	Die TN hören das Lied und singen mit. Drehen Sie an Stellen, an denen im Text die Lücken sind, den Ton ab, sodass die TN den Text selbstständig ergänzen müssen. Extra: Die TN stellen sich im Kreis auf. Tragen Sie eine Aussage aus dem Lied vor. Die TN versuchen möglichst schnell, einen plausiblen Grund zu nennen (*weil, denn*), z.B. *Herr Kraus musste raus.* TN: *Weil sein Hund mal musste.* Der Grund kann, aber muss kein Modalverb enthalten.	CD 2.24	

	FORM	ABLAUF	MATERIAL	ZEIT
1	GA, PL	a Extra: Um den Wortschatz für diese Lektion zu aktivieren, nutzen Sie die Platzdeckchenmethode (vgl. Tipp Seite 37). Schreiben Sie in das Mittelfeld der Kopiervorlage die Aufgabenstellung: *Was kann man damit tun? Wie und wann nutzt man sie? Was sind Vorteile/Nachteile?* In die vier Felder schreiben Sie: *Auto, Zug/Bahn, Computer/Tablet, Handy/Smartphone.* Jede Vierergruppe erhält eine auf DIN A3 kopierte Vorlage. Jeder sitzt an einer Seite der Vorlage und notiert drei Minuten lang in ganzen Sätzen, was ihm zu seinem Stichwort einfällt. Dann wird die Vorlage um 45 Grad gedreht und die TN bearbeiten bzw. ergänzen das nächste Feld. Der Vorgang wird wiederholt, bis jeder in der Gruppe jede Seite bearbeitet hat. Dann tauschen zwei Gruppen ihre Kopien und lesen und korrigieren, was die andere Gruppe geschrieben hat. Hängen Sie die Kopien aus und geben Sie den TN etwas Zeit, herumzugehen und die Ergebnisse der anderen zu lesen und zu kommentieren, z.B. können sie erzählen, wie sie selbst diese Medien/Verkehrsmittel nutzen. Die TN sehen sich das Foto im Buch an und stellen Vermutungen darüber an, was die Frau macht, wohin sie will und woher sie kommt, mit wem sie telefoniert usw. Fragen Sie auch, was als Nächstes passieren könnte. Dann hören die TN das Gespräch und beantworten die Fragen. Anschließend Kontrolle. *Lösung:* Am Hauptbahnhof. Ins Büro. Frau Fischer, ihre Sekretärin.	KV L16|1, CD 2.25	
	PL	b Weisen Sie auf die Chipkarte hin, die Frau Radic an die Windschutzscheibe hält. Die TN überlegen, was sie damit bezweckt. Wenn sie nicht darauf kommen, dass es sich hier um Carsharing handelt, lassen Sie die Vermutungen der TN zunächst stehen. In den folgenden Aufgaben klärt sich das auf.		
2	PL	a Wiederholung: Die Bücher sind geschlossen. Schreiben Sie je einen der folgenden Sätze auf ein Plakat: *Ich habe/brauche ein Auto. Ich habe/brauche kein Auto. Ich hätte gern ein Auto.* Hängen Sie die drei Plakate in verschiedene Ecken des Kursraums und bitten Sie die TN, sich zu dem Satz zu stellen, der am ehesten ihre persönliche Situation bzw. Einstellung trifft. Schreiben Sie einen Satz über sich selbst an die Tafel, z.B. *Ich habe/brauche ein Auto, weil ich an verschiedenen Sprachschulen unterrichte.* Wiederholen Sie anhand dieses Beispiels die Wortstellung beim Nebensatz mit *weil*. Werfen Sie dann einem TN einen Ball zu. Der TN sagt einen *weil*-Satz über sich selbst und wirft den Ball einem TN aus einer anderen Gruppe zu usw., bis jeder TN einmal an der Reihe war. Wiederholen Sie weitere Nebensätze, indem die TN berichten, warum sie ein/kein Auto brauchen (*weil*) wie oben, wann sie den Führerschein gemacht haben (*als*), bzw. wann sie ihn machen möchten oder würden (*wenn*). Stellen Sie dazu drei Stühle im Kursraum auf, auf denen Sie je einen Zettel mit diesen drei Fragen befestigen. Die TN stellen sich hintereinander zu dem Stuhl, zu dem sie etwas sagen möchten. Der erste TN setzt sich und berichtet. Dann steht er auf und setzt sich auf seinen Platz oder er geht zu einem weiteren Stuhl, wenn er noch etwas sagen möchte, und stellt sich wieder hinten	Plakate, Ball, Zettel, CD 2.26	

	in der Reihe an. Dann sagt der erste TN eines anderen Stuhls etwas usw. Wechseln Sie nach jeder Äußerung den „Redestuhl", damit die Nebensätze sich abwechseln. Erklären Sie, wenn nötig, was Carsharing ist. Dann hören die TN den Anfang der Radiosendung und kreuzen das passende Podcast-Thema an. Anschließend Kontrolle. *Lösung:* richtig: Wir haben Carsharing-Nutzer gefragt …		
PL, ggf. GA	b Die TN lesen zunächst die Aussagen. Dann hören sie die Sendung komplett und ordnen zu, wer was sagt. Anschließend Kontrolle. *Lösung:* 2 CB; 3 RM; 4 DR Die TN sprechen in Kleingruppen oder im Plenum über ihre Erfahrungen mit oder ihre Meinung zu Carsharing. Kennen sie solche Projekte? Gibt es das am Kursort oder in den Heimatstädten/-ländern der TN? Würden sie Carsharing gern ausprobieren? Warum (nicht)? Wie wichtig ist den TN ein eigenes Auto? usw. Extra: Erstellen Sie im Anschluss eine Kursstatistik zum Thema. Die TN berichten über die Statistik. Wiederholen Sie dazu Prozent- und Mengenangaben (*ein Viertel, die Hälfte* usw.) und die Partikeln (*etwas, fast, über*). Tafelbild: Ja / Nein / Weiß nicht Carsharing kennen? 7 / 7 / -- Am Kursort bzw. im eigenen Land geben? Ausprobieren? Eigenes Auto wichtig? Moodle-Tipp: Alternativ schreiben die TN einen Beitrag zum Thema ins Forum und kommentieren mindestens einen Beitrag.	CD 2.27	
EA, PL	c Die TN ordnen zu. Dann hören sie die Statements noch einmal und vergleichen. Anschließend Kontrolle. *Lösung:* 2 … bis ich gemerkt habe: Das lohnt sich nicht. 3 … ist man mit dem Fahrrad schon lange am Ziel. 4 … seitdem ich als Firmenberaterin arbeite. 5 … bis die meisten Geschäftsleute so reisen.	CD 2.27	

3	EA, PA, PL	a Die TN decken 2c mit einem Blatt Papier ab. Dann ergänzen sie *seit/ seitdem* oder *bis* und vergleichen zunächst zu zweit, bevor sie ihre Lösung mit den Sätzen in 2c vergleichen. Da die Präpositionen *seit* und *bis* bereits bekannt sind, fällt das Verständnis der Konjunktionen nicht allzu schwer. Anschließend Kontrolle. *Lösung:* (von oben nach unten) Seit, Bis, bis, seit *Seit(-dem)* und *bis* leiten Nebensätze ein, d.h. das Verb steht am Ende des Satzes. Wenn der Nebensatz das erste Satzglied ist, steht das Verb – wie immer im Hauptsatz – auf Position 2! Die TN hören die Beiträge von Carola Böck und Ingo Friedrich noch einmal und notieren weitere Sätze mit *seit(-dem)* und *bis*. Damit die TN Zeit zum Schreiben haben, drücken Sie an den entsprechenden Stellen die Pause-Taste. Anschließend werden die Beispiele an der Tafel gesammelt. *Lösung:* CB: Und wenn man den Bus mal verpasst, muss man sehr lange warten, bis der nächste kommt. IF: Seit ich meinen Wagen verkauft habe, muss ich mich um nichts mehr kümmern. Seitdem es Carsharing gibt, ist das gar kein Problem mehr. Extra: Verteilen Sie die Kopiervorlage. Die TN spielen zu zweit. Jedes Paar braucht zwei Spielfiguren und einige Münzen (aus dem eigenen Portemonnaie) oder Papierschnipsel. Die Paare spielen einige Runden Rösselsprung nach den angegebenen Regeln. Die Paare können auch ihre Partner tauschen und/oder andere Konjunktionen dazunehmen.	CD 2.27, KV L22|3a, Spielfiguren, Münzen oder Papierschnipsel	
	PA, ggf. PL, EA	b Die TN arbeiten zu zweit und schlagen die Aktionsseiten auf. Partner A liest die Satzanfänge vor und Partner B sucht auf seiner Seite nach einer passenden Ergänzung. Anschließend werden die Rollen getauscht. Machen Sie ggf. eine Kontrollrunde im Plenum. *Lösung:* Partner A: 1 Seitdem ich das Rauchen aufgehört habe, habe ich fünf Kilo zugenommen. 2 Bis ich das Rauchen aufgehört habe, habe ich pro Tag circa 20 Zigaretten geraucht und hatte oft Husten. 3 Seitdem wir auf dem Land wohnen, sind wir viel ruhiger und entspannter. 4 Bis wir aufs Land gezogen sind, haben wir mitten im Stadtzentrum gewohnt. 5 Seitdem ich mit dem Fahrrad zur Arbeit fahre, habe ich schon drei Kilo abgenommen. 6 Bis ich auf das Fahrrad umgestiegen bin, habe ich morgens mit dem Auto immer eine Stunde im Stau gestanden. Partner B: 1 Seitdem ich Kinder habe, habe ich kaum mehr Zeit für mich und meine Hobbys. 2 Bis ich Kinder bekommen habe, hatte ich viel Freizeit und viele Hobbys. 3 Seitdem ich kein Fleisch mehr esse, fühle ich mich viel gesünder. 4 Bis ich Vegetarierin geworden bin, hatte ich viele Allergien. 5 Seitdem ich eine neue Arbeit als Friseurin habe, tun die Füße mir abends vom langen Stehen weh. 6 Bis ich eine neue Arbeit als Friseurin gefunden habe, war ich sechs Monate arbeitslos und habe als Verkäuferin gejobbt. Lerngewohnte TN schreiben eigene Satzanfänge, welche die Partnerin / der Partner ergänzen soll.	KV L22|3b	

<table>
<tr><td></td><td></td><td>Extra: Verteilen Sie die Kopiervorlage. Die TN arbeiten allein oder zu zweit und schreiben den Text neu, wobei sie die Sätze mit den vorgegebenen Konjunktionen verbinden. Anschließend Kontrolle.

Moodle-Tipp: Geben Sie Fragen im Wiki vor, z.B. Was hat sich in Ihrem Leben verändert, seitdem …? Die TN ergänzen eine freie Antwort und schreiben ihren Namen dahinter. Verbessern Sie die Fehler und gehen Sie im Nachrichtenforum in einem Feedback auf die Aufgabe ein.</td><td></td><td></td></tr>
<tr><td>4</td><td>EA/ PA</td><td>a Um die Wörter des Bildlexikons zu üben, schreiben die TN allein oder zu zweit Antworten auf die Frage: Wann brauchen/machen Sie das? – Wenn ich mit Excel meine Ausgaben prüfe, brauche ich die Zahlen. usw. Anschließend werden die Bücher geschlossen. Die TN lesen ihre Sätze vor, lassen aber das Wort aus dem Bildlexikon weg. Die anderen raten.

Die TN lesen die Anleitung und sortieren sie. Hilfe beim Wortschatz finden sie im Bildlexikon. Erwähnen Sie ggf., dass die TN nach ihrer eigenen Logik entscheiden sollen. Die Lösung muss nicht eindeutig sein.</td><td></td><td></td></tr>
<tr><td></td><td>PL, PA</td><td>b Wiederholen Sie kurz Wörter, mit denen man eine chronologische Reihenfolge angeben kann (zuerst, dann, danach, zuletzt, schließlich, am/zum Schluss). Zu zweit sprechen die TN nach dem Muster im Buch über die Anleitung und was sie wann tun müssen.

Lösungsvorschlag: (von oben nach unten) 8, 3, 5, 7, 2, 4, 6</td><td></td><td></td></tr>
<tr><td>5</td><td>EA, PA, PL</td><td>a Die TN sehen sich die Fotos an und ergänzen die Verben mithilfe des Auswahlkastens. Das Ergebnis vergleichen sie zunächst zu zweit. Anschließend Kontrolle.

Lösung: 2 anklicken; 3 wählen, bestätigen; 4 eingeben; 5 heruntergeladen</td><td></td><td></td></tr>
<tr><td></td><td>PA</td><td>b Die TN spielen zu zweit Gespräche nach dem Muster im Buch. Hilfe finden sie im Kommunikationskasten. Weitere mögliche Gesprächsthemen sind: eine Überweisung per Online-Banking machen, das Handy aufladen, Lieder oder Filme online kaufen/herunterladen, Fotos online zum Fotolabor schicken, Geld am Automaten ziehen, mit Kreditkarte bezahlen usw.</td><td></td><td></td></tr>
<tr><td></td><td>GA, PL</td><td>c In Kleingruppen erzählen sich die TN, was sie zuletzt im Internet bestellt/gebucht haben. Welche Online-Dienstleistungen nutzen die TN? Welche würden sie nie online nutzen? Warum (nicht)? Dabei kann auch über Sicherheit im Internet gesprochen werden: Benutzen die TN immer das gleiche Passwort oder unterschiedliche? Welche Strategien für sichere Passwörter kennen sie? Wie merken sie sich ihre Passwörter?

Als Hilfestellung können Sie die Kopiervorlage austeilen. Die TN diskutieren über die Statements bzw. nutzen diese als Hilfe für ihre eigene Argumentation. In einer Abschlussrunde im Plenum nennt jeder das Statement, das am ehesten seiner eigenen Meinung entspricht.</td><td>KV L22|5c</td><td></td></tr>
</table>

		Extra: Die TN schreiben die Dienste, die sie häufiger nutzen, auf kleine Zettel oder drucken zu Hause eine Webseite aus und bringen sie mit. Sammeln Sie die Zettel ein und mischen Sie. Ein TN zieht einen Zettel. Der TN, dem der Zettel gehört, erklärt den Dienst. Anhand eines Ausdrucks ist das sicherlich für viele einfacher, weil sie dann auch auf die entsprechenden Felder zeigen können. Evtl. machen die TN sich vorher Notizen über die Reihenfolge der Tätigkeiten. Moodle-Tipp: Legen Sie eine „Text mit Korrektur-Aufgabe" an: *Haben Sie schon einmal ein Ticket online gebucht? Was sind die Vor- und Nachteile?* Die TN schreiben ihren Text ins Textfeld und erhalten einen Korrekturvorschlag.		
6	PA, PL	Zwei TN lesen das Beispiel vor. Dann interviewen die TN sich zu zweit und halten die Antworten in der Tabelle fest. Übertragen Sie inzwischen die Tabelle an die Tafel. Jeder TN überträgt die Ergebnisse seiner Partnerin / seines Partners in die Tabelle. Das kann durch Striche geschehen, die am Ende zusammengezählt werden. Danach wird die Tabelle in einem gemeinsamen Kursgespräch ausgewertet. Wiederholen Sie ggf. notwendige Vokabeln wie *wenige, noch weniger, die Hälfte, doppelt so viele, die meisten, rund (circa).* Extra: Als Hausaufgabe formulieren die TN die Ergebnisse schriftlich aus. Dazu müssen sie die Tabelle ins Heft übertragen. Oder Sie stellen die Tabelle zum Download auf die Lernplattform (Moodle).		

	FORM	ABLAUF	MATERIAL	ZEIT
1	EA/ PA, PL	Die TN sehen sich das Foto an und schreiben allein oder zu zweit einen kurzen Infotext über den Mann: Alter, Beruf, Familie, Hobbys usw. Insbesondere notieren sie Hypothesen darüber, wie es ihm geht und warum. Anschließend werden einige Texte im Plenum vorgelesen und diskutiert. Die TN hören das Hörbild und sprechen über das Befinden des Mannes. Passt es zu ihren Vermutungen vorher? Moodle-Tipp: Im Forum schreiben die TN einen kurzen Beitrag über ihren Beruf und ihre Zufriedenheit damit. Gibt es einen Beruf, den sie lieber machen würden, oder ist der eigene Beruf der Traumberuf?	CD 2.28	
2	GA, EA	In Kleingruppen unterhalten sich die TN über Tätigkeiten, die sie glücklich machen. Auch Situationen und Momente können ins Gespräch einbezogen werden: *Wann fühlen Sie sich besonders wohl, worüber freuen Sie sich oder wann waren sie das letzte Mal so richtig zufrieden mit sich und der Welt?* Alternativ oder zusätzlich verteilen Sie die Kopiervorlage. Die TN ergänzen mindestens vier der Sätze. Wer Lust hat, schreibt ein Elfchen-Gedicht.	KV L23|2	
3	PL, GA, EA	a Wiederholung: Machen Sie mit den TN eine Wortkette zu Berufen. Nennen Sie einen Beruf, z.B. Ar<u>c</u>hitekt. Der nächste TN muss mit dem jeweils dritten Buchstaben des Wortes einen anderen Beruf nennen, z.B. Ch<u>e</u>miker, usw. Wenn Sie anschließend mit den Berufen weiterarbeiten wollen, bestimmen Sie einen TN, der die genannten Berufe an der Tafel notiert. Dann arbeiten die TN in Kleingruppen. Jede Gruppe sucht sich fünf Berufe von der Tafel aus und schreibt vier bis fünf Sätze zu diesen Berufen: *Welche Aufgaben/Tätigkeiten hat man in diesem Beruf? Wo arbeitet man? Ausbildung oder Studium?* usw. Die TN sehen sich das Bildlexikon an und kreuzen an, was sie aus eigener Erfahrung kennen, was sie selbst schon gemacht haben. Sie berichten kurz darüber. Extra: Geben Sie die beiden Fragen *Wie finde ich einen Beruf, der zu mir passt?* und *Wie bewerbe ich mich richtig?* vor. In Kleingruppen schreiben die TN Tipps mit *könnte* oder *sollte* (Wiederholung des Konjunktiv II) auf Plakate. Die TN überfliegen den Text und kreuzen an. Anschließend Kontrolle. *Lösung:* 1 ist der Autor. 2 Wie finde ich einen Beruf, der zu mir passt?	Plakate	
	EA, PL, PA	b Die TN lesen die Aussagen. Dann lesen sie den Text noch einmal genau und kreuzen an. Anschließend Kontrolle. Stellen Sie bei den falschen Aussagen Zusatzfragen, z.B. bei 2: *Wie war das mit der Lehre als Elektroinstallateur?* Fragen Sie bei den richtigen Aussagen nach den entsprechenden Formulierungen im Text. *Lösung:* richtig: 1, 5, 6; falsch: 2, 3, 4 Zusätzlich schreiben die TN zu zweit drei Fragen zum Text, die sie einem anderen Paar stellen und umgekehrt. Lerngewohnte TN beantworten die Fragen, ohne erneut in den Text zu schauen.		

	Sozialform	Ablauf	Material	
	GA/ PL	c In Kleingruppen oder im Plenum sprechen die TN darüber, ob sie Mark Brügges Buch lesen würden. Warum (nicht)? Zusätzlich können sie ihre Meinung zu dem Buch und zu Ratgebern allgemein sagen. Lesen sie Ratgeber? Warum (nicht)? Wenn ja, zu welchen Themen? Verteilen Sie alternativ zur Steuerung und Anregung je einen Satz der Diskussionskärtchen (Kopiervorlage) an Kleingruppen. Auf die zwei leeren Kärtchen können Sie oder die TN eigene Fragen schreiben. Die Kärtchen werden verdeckt ausgelegt. Ein Kärtchen wird aufgedeckt, die TN sprechen in der Gruppe über die Frage. Wiederholen Sie vorab ggf. Redemittel zur Meinungsäußerung (*Ich glaube/denke/meine/finde/weiß, dass ...*).	KV L23|3c	
4	EA, PL, GA	a Die TN ergänzen mithilfe des Textes in 3a die Tabelle. Anschließend Kontrolle. *Lösung:* (von oben nach unten) der, die Schreiben Sie die Relativsätze im Nominativ an die Tafel. Erklären Sie, dass der Relativsatz ein Nomen näher beschreibt und direkt hinter dem Nomen steht. Der Relativsatz ist ein Nebensatz, d.h. das Verb steht am Ende. Er wird durch das Relativpronomen eingeleitet. Der Kasus des Relativpronomens wird bestimmt durch seine Funktion im Relativsatz. Um das zu verdeutlichen, machen Sie aus dem Relativsatz einen Hauptsatz wie im Tafelbild unten. **Relativsatz im Nominativ** Das ist der Mensch, **der** nicht weiß, was er will. -> Das ist der Mensch. **Er** weiß nicht, was er will. Nominativ **Relativsatz im Akkusativ** Das ist der Mensch, **den** ich mag. -> Das ist der Mensch. Ich mag **ihn**. Akkusativ Die TN stehen im Kreis. Geben Sie einen Satz vor, den die TN mit eigenen Angaben ergänzen, z.B. *Der Ort, den ich am meisten liebe, ist ...* In einer zweiten Runde: *Das Buch, das ich gerade lese, heißt ...* Nächste Runde: *Die Arbeit, die ich gern mache, ist ...* Weitere Möglichkeiten: *Die Sprache(-n), die ich noch lernen möchte, ist/sind ...; Das Auto, das ich gern hätte, ist ein ...; Der Mensch, der mir am meisten bedeutet, ist ...* usw. Die TN überlegen sich weitere Beispiele, die im Kreis durchgespielt werden. Nehmen Sie sich für diese Übung ruhig Zeit, denn Relativsätze sind komplex und von den TN spontan zunächst kaum zu bewältigen. Extra: Die TN erhalten in Kleingruppen je einen Satz Domino-Kärtchen der Kopiervorlage und spielen Domino nach den bekannten Regeln. Lassen Sie die TN ruhig mehrere Runden spielen oder das Spiel in den folgenden Tagen wiederholen, damit sich die neue Struktur einschleift.	KV L23|4a	

	PA, PL	b Erklären Sie die Wörter *kündigen* und *Kündigung*. Die TN arbeiten zu zweit und schlagen die Aktionsseiten auf. Sie fragen sich gegenseitig nach den Personen und ergänzen die fehlenden Informationen. Sie antworten jeweils mit einem Relativsatz wie im Beispiel. Machen Sie ggf. eine Kontrollrunde im Plenum. Lerngewohnte TN können außerdem eigene Beispiele zu Personen aus dem Deutschkurs machen. Zur Kontrolle werden diese Beispiele anschließend vorgelesen. Alternativ oder zusätzlich schreibt jeder TN über den TN, der links von ihm sitzt, einen Satz groß auf einen Zettel. Die Sätze sollen keine Namen sondern Personalpronomen enthalten, z.B. *Er telefoniert gern und viel. / Sie ist heute zu spät gekommen.* usw. Die TN geben ihren Zettel an diesen TN weiter, der ihn sich auf dem Rücken befestigt. Dann gehen die TN herum und befragen andere: *Wer ist das?* Sie zeigen auf eine Person. Der andere liest vom Zettel auf dem Rücken der gezeigten Person ab: *Oh, das ist Ivo, der gern und viel telefoniert.* Moodle-Tipp: Die TN machen im Forum oder Wiki ein Teilnehmer-Quiz. Beginnen Sie mit der ersten Frage: *Wer ist die Kurskollegin, die immer bei der Tür sitzt?* Der TN, der als Erstes richtig antwortet, stellt die nächste Frage. In homogenen Kursen mit wenigen TN kann nach Prominenten gefragt werden.	große Zettel, Klebeband oder Stecknadeln	
5	PL	a Malen Sie drei große Zettel mit je einem Smiley wie im Buch (Kommunikationskasten), schreiben Sie unter den lachenden *zufrieden*, unter den neutralen *neutral* und unter den mit den nach unten gezogenen Mundwinkeln *unzufrieden*. Legen Sie die Smileys in einer Reihe im Kursraum aus. Fragen Sie die TN, wie zufrieden sie mit ihrem Job/Beruf sind, und bitten Sie sie, sich entsprechend bei den Smileys zu platzieren. Sprechen Sie mit den TN kurz über das Ergebnis (*Wo gibt es eine Häufung, wo wenige, warum wohl?*) usw. Gehen Sie dabei nicht auf einzelne TN ein, denn das ist Thema in c. Die TN schlagen die Bücher auf und hören die Statements der Leute. Sie markieren zunächst nur mit Smileys, ob die Leute zufrieden, neutral oder unzufrieden sind. Alternativ hören sie die Aussagen bei geschlossenen Büchern und malen passende Smileys zu den Aussagen. Anschließend Kontrolle. *Lösung*: 2 zufrieden; 3 neutral	Zettel mit Smileys, CD 2.29–31	
	EA, PL	b Die TN lesen die Aussagen in a. Dann hören sie noch einmal und ergänzen. Stoppen Sie nach jeder Aussage, damit die TN Zeit zum Schreiben haben. Anschließend Kontrolle. *Lösung*: 1 … das ärgert mich. Ich habe wirklich genug. 2 Damit bin ich super zufrieden. So macht Arbeiten Spaß. 3 Der Job ist nicht toll, aber okay. Fragen Sie die TN, was den drei Frauen am Arbeitsplatz wichtig ist, und notieren Sie Stichworte an der Tafel: *interessant, gutes Betriebsklima, Spaß, Arbeitszeit (hier: Teilzeit).*	CD 2.29–31	

	PL (GA), PA	c Sammeln Sie mit den TN weitere Aspekte dazu, was am Arbeitsplatz wichtig ist, und notieren Sie sie an der Tafel. Lerngewohnte TN können auch in Kleingruppen weitere Aspekte sammeln, die dann im Plenum zusammengetragen werden. Zur Vorbereitung des Partnerinterviews gehen Sie mit den TN die einzelnen Aspekte der Tabelle durch, indem Sie nach Frageformulierungen fragen. Die TN interviewen sich gegenseitig, dabei können weitere Fragen zu den vorher gesammelten Aspekten gestellt werden. Formulierungshilfen finden sie im Kommunikationskasten. Abschließend stellen einige TN dem Plenum ihre Partnerin / ihren Partner vor. Moodle-Tipp: Stellen Sie eine Text-Aufgabe: *Liebe die Arbeit, die du machst. Stimmen Sie dieser Aussage zu?* Die TN schreiben ins Textfeld und erhalten einen Korrekturvorschlag.		
6	PL, GA	Bitten Sie die TN, sich nach der Anzahl der Jahre, die sie zur Schule gegangen sind, aufzustellen. TN mit gleicher Schulzeit stellen sich hintereinander auf oder halten sich an der Hand. Die TN berichten kurz über ihren Schulabschluss (Können sie damit studieren? Welche weiteren Möglichkeiten haben sie?). Fragen Sie die TN, was sie über das deutsche Schulsystem wissen. Dann schlagen diese die Bücher auf und vergleichen mit dem Schema. Können sie der Grafik entnehmen, ob ihre Thesen richtig waren? Fragen Sie, was aus dem Schema gelesen werden kann. Sammeln Sie zutreffende Thesen an der Tafel, sodass sich nach und nach eine Erklärung des Schemas ergibt. Landeskunde: Das deutsche Schulsystem kann nur grob skizziert werden. Da jedes Bundesland sein eigenes Schulsystem hat, gibt es von Bundesland zu Bundesland Unterschiede. Überall aber führt das Gymnasium zum Abitur, in der Gesamtschule können verschiedene Abschlüsse erworben werden und die Haupt-/Mittelschule und Realschule enden im Allgemeinen mit dem Haupt-/Mittelschulabschluss oder dem Realschulabschluss. Ein Hochschulstudium ist mit Abitur möglich, aber durch den Besuch weiterführender Schulen können auch Nicht-Abiturienten einen höheren (fachgebundenen) Schulabschluss erwerben, der zum Studium berechtigt. In Österreich ist das Schulsystem einheitlich geregelt. Nach vier Jahren Volksschule (vgl. Grundschule) wird eine Allgemeinbildende Höhere Schule (AHS) oder die Hauptschule besucht. Wer die AHS oder eine Berufsbildende Höhere Schule (BHS) mit der Matura (vgl. Abitur) abschließt, ist zum Studium berechtigt. In der Schweiz liegt die Verantwortung für die Schulen bei den Kantonen und Gemeinden. Die Grundschule heißt Primarschule und umfasst in den meisten Kantonen sechs Schuljahre. Danach wechseln die Schüler in die Sekundarschule. Maturitätsschulen schließen mit der Matur oder Matura ab, die das Studium ermöglicht. (Stand: 2014)	kleine Zettel	

Die TN sehen sich die Beispiele auf den Zetteln im Buch an. Fragen Sie nach den passenden Schultypen für Ulla und Simon. Dann schreiben die TN selbst kleine Zettel mit Aufgaben wie im Beispiel. Sammeln Sie die Zettel ein. In Kleingruppen erhalten die TN einige der Aufgabenzettel und diskutieren die möglichen Schullaufbahnen. Zusätzlich können sie überlegen, welche Schullaufbahn sie für ihren eigenen Beruf / ihr Studium in Deutschland gebraucht hätten / brauchen würden.

In Kursen mit TN aus verschiedenen Ländern bilden die TN Ländergruppen und formulieren mindestens drei Unterschiede oder Gemeinsamkeiten mit dem deutschen Schulsystem. Im Plenum stellen die Gruppen die Unterschiede und Gemeinsamkeiten vor.

	FORM	ABLAUF	MATERIAL	ZEIT
1	PL	Führen Sie ein kurzes Kursgespräch zum Einstiegsfoto. Dann hören die TN das Gespräch und beantworten die Fragen. Anschließend Kontrolle. *Lösung:* Sie sind am Flughafen und holen Patricia ab. Fragen Sie nach, wie lange Patricia weg war, wo sie wohl war und was sie während ihres Auslandsaufenthalts vielleicht gemacht hat.	CD 2.32	
2	PL	Die TN erzählen, wann sie zuletzt jemanden am Flughafen oder Bahnhof abgeholt haben. Fragen Sie auch, ob sie gern abgeholt werden und ob sie gern andere abholen. Notieren Sie, während die TN erzählen, an der Tafel einige der Verben, die die TN benutzen, im Perfekt. Lenken Sie die Aufmerksamkeit dann auf die Verben und lassen Sie die Verben in regelmäßige, unregelmäßige und Mischverben, nach Verben mit *haben* oder mit *sein* sortieren. Besprechen Sie kurz die Bildung des Perfekts. Diese Wiederholung bereitet auf Aufgabe 4 ff. vor.		
3	PA, GA	Die TN sehen ins Bildlexikon und lösen zu zweit das Rätsel. Dann schreiben sie zwei eigene Rätsel nach dem Muster im Buch und tauschen mit einem anderen Paar. Alternativ oder zusätzlich bekommt jede Kleingruppe einen Satz Kärtchen der Kopiervorlage. Die Kärtchen werden gemischt und verdeckt ausgelegt. Ein TN zieht eine Karte und nennt das passende Wort. Achtung: Hier kommen nicht nur Wörter aus dem Bildlexikon vor, sondern auch andere Wörter aus dem Kontext „Reisen". Weiß der TN die Antwort nicht, dürfen die anderen helfen. Das Kärtchen wird zurückgelegt. Dann zieht der zweite TN usw. Moodle-Tipp: Im Wiki schreiben die TN Relativsätze zu den Wörtern des Bildlexikons. Die anderen erraten das beschriebene Wort, z.B.: *Ein Ort, der zwei Länder voneinander trennt. Was ist das? – Die Grenze.* *Lösung:* b die Grenze; c der Pass In Kleingruppen erzählen die TN von ihrer letzten Reise. Helfen Sie mit Leitfragen: *Welche Dokumente haben Sie gebraucht? Wann war der Abflug / die Ankunft? Sind Sie umgestiegen? Wie viele und welche Grenzen haben Sie passiert?*	KV L24|3	
4	PL, EA, PA	a Fragen Sie die TN, ob sie *Ärzte ohne Grenzen* kennen und was diese Organisation macht. Landeskunde: *Ärzte ohne Grenzen* ist die deutsche Organisation von *Médecins Sans Frontières* (MSF), im englischsprachigen Raum *Doctors Without Borders* genannt. Sie bietet medizinische Hilfe in Kriegs- und Krisenregionen. Die TN lesen die Fragen im Auswahlkasten, stellen Sie das Verständnis sicher. Dann überfliegen sie das Mitarbeiterporträt und ergänzen die Fragen. Anschließend Kontrolle zunächst zu zweit, dann im Plenum. Um die TN zum schnellen Zuordnen zu animieren, erhält jeder alternativ die Fragen auf der Kopiervorlage und schneidet sie aus. Die Bücher sind geschlossen. Lesen Sie in normalem Sprechtempo die Antworten vor, die TN legen die Fragen in die richtige Reihenfolge.	KV L24|4a	

	Lösung: Zeile 7: Hast du schon mal ein ähnliches Projekt gemacht? Zeile 10: Waren die Vorbereitungen kompliziert? Zeile 16: Wie sah dein Alltag aus? Zeile 37: Was hast du vermisst? Zeile 44: Welche Pläne hast du für die Zukunft? Zeile 49: Was ist die schönste Erinnerung an deine Arbeit?		
EA, PL, PA, GA	b Die TN lesen den Text noch einmal und kreuzen richtige Aussagen an. Anschließend Kontrolle. *Lösung*: richtig: 2; 3 Die TN schreiben vier eigene Aussagen zum Text und tauschen sie mit der Partnerin / dem Partner. Sie/Er markiert, welche Sätze richtig sind, dann wird das Ergebnis zu zweit verglichen. Extra: Der Text eignet sich als Leseübung, die TN lesen den Text mit Flüsterstimme. In Kleingruppen spielen sie dann das Interview: Ein TN stellt eine Frage und nennt den Namen eines anderen TN aus der Gruppe. Dieser liest mit passender Gestik und Mimik die Antwort. Dann stellt er einem anderen die nächste Frage usw. Die Gruppen können wechseln, sodass mehrere Durchgänge möglich sind. Durch diese Übung bekommen die TN die Präteritum-Verben ganz nebenbei „ins Ohr" und durch die Gruppenaktivität müssen alle aufmerksam bleiben. Moodle-Tipp: Stellen Sie eine Text-Aufgabe zu *Ärzte ohne Grenzen*. Wie finden die TN dieses Projekt? Würden sie gern mitmachen, wenn sie Arzt oder Krankenschwester wären? Die TN schreiben ihren Text ins Textfeld und bekommen einen automatischen Korrekturvorschlag.		

5

EA, PL, GA	a Die TN markieren alle Vergangenheitsformen im Text in 4a, indem sie die regelmäßigen Perfektformen in Grün, die unregelmäßigen in Blau und die Präteritumformen in Rot unterstreichen. Das Präteritum der Modalverben sowie von *sein* und *haben* kennen sie bereits. Sie ergänzen die Tabelle. Anschließend Kontrolle zunächst aller Verben, indem Sie den Text zeigen (Folie/IWB) und die TN die Verben nennen lassen. Schreiben Sie die Infinitive an den Rand. Dann Kontrolle der Tabelle. *Lösung:* (von oben nach unten, von links nach rechts) konnte, sollte, war; sah, kam, gab, fand, sagte Wiederholen Sie die Konjugation der Modalverben im Präteritum und erklären Sie, dass die regelmäßigen Verben im Präteritum die gleichen Endungen haben. Machen Sie zur Veranschaulichung noch zwei weitere einfache Beispiele, z.B. *fragen, hören*. Es geht hier nur darum, dass die TN ein erstes Gefühl für das Präteritum bekommen, eine ausführliche Behandlung ist nicht erforderlich. Das Präteritum wird auf Lernstufe B1 vertieft. Zeigen Sie anhand der bekannten Formen von *war* die Präteritum-Endungen bei starken/unregelmäßigen Verben. Weisen Sie darauf hin, dass nicht alle unregelmäßigen Verben mit dem Vokal *a* gebildet werden. Das ist hier Zufall! Die Stammformen unregelmäßiger Verben sollten auswendig gelernt werden. Erwähnen Sie auch, dass das Präteritum vorwiegend in geschriebenen Texten verwendet wird mit Ausnahme von *war, hatte*, den Modalverben und einigen frequenten Verben wie *fand, gab*, die auch in der gesprochenen Sprache häufiger benutzt werden.	Farbstifte, Text auf Folie/IWB, farbige Würfel, KV L24|5a	

		Zur Einübung erhalten die TN in Kleingruppen zwei verschiedenfarbige Würfel. Der eine Würfel gibt die Person an, der zweite das Verb. Ein TN würfelt und bildet entsprechend der Augenzahl der Würfel die Form im Präteritum, z.B. bei 1 und 3: *ich hatte*. Geübte TN bilden einen ganzen Satz. Tauschen Sie die Verben nach einiger Zeit aus. 1 = ich 1 = geben 2 = du 2 = sehen 3 = er/es/sie 3 = haben 4 = wir 4 = sagen 5 = ihr 5 = wollen 6 = sie/Sie 6 = kommen Extra: Verteilen Sie die Kopiervorlage. Die TN gehen herum, befragen sich gegenseitig und notieren die Namen. Fragen Sie anschließend in einer Plenumsrunde, was die TN über andere im Kurs wissen. Fragen Sie: *Welche Informationen haben Sie über Andrej?* Die TN berichten gemeinsam, was sie über Andrej herausgefunden haben.		
	PA	b Die TN schlagen die Aktionsseiten auf und befragen sich nach den fehlenden Informationen. Extra: Als Hausaufgabe schreiben die TN mithilfe der Informationen aus der Aufgabe einen Text über Joke oder Julika.		
6	PL, EA	a Die TN tragen zusammen, welche Gründe es für einen Auslandsaufenthalt gibt, z.B. Au-pair, Schüleraustausch, Beruf usw. Diese Phase dient auch als Anregung für TN, die nicht auf eigene Erfahrungen zurückgreifen können. Dann machen sich die TN Notizen zu den Fragen im Buch und schreiben ihren wahren oder erfundenen Erfahrungsbericht. Formulierungshilfen finden sie im Kommunikationskasten.		
	PL, PA	b Die Berichte werden im Kursraum aufgehängt. Die TN gehen herum und lesen sie, dabei können sie auch Fehler korrigieren. Sie raten, welche Berichte wahr sind und welche erfunden. Verteilen Sie dazu verschiedenfarbige Klebepunkte (z.B. grüne für wahre, rote für erfundene Berichte), die angeklebt werden, oder bringen Sie Wäscheklammern mit. Hält ein TN einen Text für erfunden, klemmt er eine Wäscheklammer an den Text. Anschließend Kursgespräch über die Texte mit Auflösung durch den jeweiligen Autor. Alternativ oder zusätzlich interviewen sich die TN zu zweit zu ihrem Auslandsaufenthalt. Moodle-Tipp: Im Glossar stellen die TN ein Land vor, in dem sie schon einmal waren. Sie laden auch ein Foto hoch.	Klebepunkte oder Wäscheklammern	

7	EA/ GA, PL	a Die TN machen das Quiz, ggf. auch in Kleingruppen, damit sie sich beraten können. Anschließend Besprechung. Wiederholen Sie anhand der Quizfragen Komparativ und Superlativ und zeigen Sie die Adjektiv-Endungen für den definiten Artikel (*lang, länger, am längsten, der/das/die längste*). Extra: Wenn die TN Interesse haben, können sie im Internet nach genaueren Informationen zu den Quizfragen suchen, z.B. zu Frage 8: *Wie heißt dieser höchste Berg und wie hoch ist er?* Die Ergebnisse werden im Kurs vorgestellt.		
	GA, PL	b Die TN wählen in Kleingruppen ein Land. Sie tragen Informationen zu diesem Land zusammen und erstellen ein Quiz. Anschließend bilden die Kleingruppen Rateteams. Eine Gruppe stellt eine Frage. Die anderen Gruppen beraten sich und schreiben ihre Lösung auf. Begrenzen Sie die Rate-Zeit. Hat eine Gruppe als einzige die richtige Lösung, bekommt sie so viele Punkte dafür, wie es Gruppen gibt. Bei zwei richtigen Lösungen bekommen beide Gruppen einen Punkt weniger, als es Gruppen gibt, bei drei richtigen Lösungen zwei Punkt, usw. Welche Gruppe hat am Ende die meisten Punkte? Alternativ erhält jede Gruppe die Quizfragen einer anderen Gruppe und löst das Quiz. Die Gruppe, die sich das Quiz ausgedacht hat, korrigiert am Ende.		

Lesemagazin

	FORM	ABLAUF	MATERIAL	ZEIT
1	GA, PL, EA	Die Bücher sind geschlossen. In Kleingruppen überlegen die TN, was man vor einem Umzug erledigen muss, und machen Notizen. Wenn die TN nur Tätigkeiten in der Wohnung auflisten, stellen Sie einige Zusatzfragen: *Was muss für den Tag des Umzugs organisiert werden? Zu welchen Ämtern muss man? Was müssen Familien mit Kindern tun?* Tipp: Ergebnisse können schneller gebündelt werden, wenn eine Gruppe ihre Ergebnisse auf Folie oder an der Tafel festhält, falls es möglich ist, ohne dass die anderen Gruppen dabei zusehen können. Diese Gruppe stellt ihre Ergebnisse am Ende kurz vor, die anderen Gruppen ergänzen nur Punkte, die noch nicht genannt worden sind. Fragen Sie die TN, welche der bei einem Umzug notwendigen Tätigkeiten sie gern machen, welche lästig sind. Die TN lesen den Artikel im Buch. Alternativ kopieren Sie den Text, entfernen die Zeilenangaben und schneiden den Text abschnittweise auseinander. Dann kleben Sie die Teile ungeordnet wieder zusammen. Jeder TN erhält eine Kopie, liest die Abschnitte und nummeriert sie in der richtigen Reihenfolge. Bringen Sie eine Deutschlandkarte mit und verfolgen Sie mit den TN den Umzugsweg von Familie Ebel. Dann korrigieren die TN die Sätze im Buch. Anschließend Kontrolle. *Lösung:* a ~~Bremen~~ Berlin; b ~~Facharzt~~ Assistenzarzt; c ~~sofort~~ keine; d ~~vier~~ drei; f ~~bald~~ nicht	Kopien des Textes in anderer Reihenfolge, Deutschlandkarte	
2	PL/ GA	Im Plenum oder in Kleingruppen erzählen die TN, wie oft sie schon umgezogen sind, ob sie gern umziehen, neugierig/unsicher auf eine neue Umgebung reagieren und ob Arzt ein Beruf für sie wäre. Tipp: Gesprächsanregung mal anders: Die TN schreiben die Zahl ihrer Umzüge in einer Ziffer auf einen Zettel und befestigen diesen am Pullover. Rufen Sie dann *gleiche Zahl* in den Raum. TN, die die gleiche Zahl haben, finden sich zusammen und sprechen zu zweit, höchstens zu dritt über ihre Umzüge. Sollten sich keine gleichen Zahlen finden, dürfen die TN auch die nächstliegenden Zahlen nehmen. Auf Ihr Zeichen trennen sich die Gruppen wieder, und Sie rufen *aufeinanderfolgende Zahlen*. Die TN suchen eine Partnerin / einen Partner mit der nächsthöheren oder nächstniedrigeren Zahl usw. Weitere Möglichkeiten: *die Addition muss fünf ergeben, gerade und gerade Zahl, ungerade und ungerade Zahl*. So berichten die TN mehrfach und üben das flüssige Sprechen. Jeder Einzelne hat häufiger einen Redebeitrag als in der Kleingruppe. Außerdem kommen auch stillere TN zum Zug.		

Film-Stationen

	FORM	ABLAUF	MATERIAL	ZEIT
1	EA, PA, PL	a Die TN schreiben einen kurzen Text darüber, wie sie ihre EC-Karte, alternativ die Kreditkarte, nutzen: Bezahlen sie regelmäßig damit? Auch kleine Summen oder nur größere? Nutzen sie sie als Geldkarte? usw. Verteilen Sie Karteikarten für den Text, damit die TN sehen, dass ein paar Sätze zum Thema genügen, und die „Angst vor dem leeren Blatt Papier“ reduziert wird. In Partnerarbeit lesen sich die TN die Texte vor und korrigieren gemeinsam. Einige TN lesen ihre Texte exemplarisch dem Plenum vor. Sammeln Sie die Texte zur Korrektur ein. Die TN berichten kurz, was in den letzten beiden Film-Folgen passiert ist. Dann sehen sie den ersten Teil des Films (bis 1:06) ohne Ton. Zu zweit sprechen sie darüber, was das Problem ist.	große Karteikarten, Clip 8	
	PL, EA, PA, GA	b Die TN sehen den ersten Teil des Films noch einmal mit Ton. Danach lesen sie die Sätze und korrigieren sie. Anschließend Kontrolle. *Lösung:* 2 ~~Der EC-Automat~~ Die EC-Karte; 3 ~~offen~~ geschlossen; 4 ~~heute noch~~ morgen; 5 ~~in ein Café~~ zur S-Bahn Zu zweit schreiben die TN drei falsche Sätze nach dem Muster im Buch und tauschen sie mit einem anderen Paar. Die Lösungen werden zu viert besprochen. Fragen Sie die TN, ob sie auch schon mal Probleme mit ihrer EC-Karte hatten.	Clip 8	
2	PL	a Die TN sehen den zweiten Teil des Films (ab 1:07) und kreuzen an. Anschließend Kontrolle. *Lösung:* 1 mit einer Versicherung; 2 in der gleichen Pension	Clip 8	
	EA, PA, PL	b Die TN lesen die Fragen und versuchen eine erste Antwort mit Bleistift. Dann sehen sie den zweiten Teil des Films noch einmal und machen sich Notizen bzw. korrigieren ihre Antworten. Danach vergleichen sie ihre Antworten zu zweit. Anschließend gemeinsame Kontrolle. *Lösung:* 1 Sie hat ein großes Zimmer in einer kleinen Pension in den österreichischen Bergen gebucht. 2 Er hat ein kleines Zimmer in derselben Pension gebucht und er bekommt Christians Oldtimer für das Wochenende. 3 Lena und Christian fahren mit und bekommen das kleine Zimmer.	Clip 8	
	PL/ GA	c Die TN erzählen im Plenum oder in Kleingruppen, über welche Überraschung sie sich freuen würden. Zusätzlich können sie über Überraschungen sprechen, die schiefgegangen sind.		

Projekt Landeskunde

	FORM	ABLAUF	MATERIAL	ZEIT
1	PL, EA, ggf. PA	Schreiben Sie die vier Alternativen aus dem ersten Absatz des Textes an die Tafel, darunter *lieber zu Hause bleiben*. Sagen Sie den TN, dass jeder eine Stimme hat. Stimmen Sie ab und werten Sie das Ergebnis aus: Was ist am (un-)beliebtesten? Warum? Fragen Sie auch, wer schon einmal längere Zeit im Ausland gelebt hat bzw. wie lange die TN schon in Deutschland, Österreich, der Schweiz sind. Die TN lesen den Text und beantworten die Fragen. Anschließend Kontrolle. *Lösung:* a eine Kombination von Reisen und Arbeiten; b in fast jedem Land; c jeder zwischen 18 und 30 Jahren Tipp: Um die TN dazu zu bringen, den Text mit eigenen Worten wiederzugeben, schließen sie die Bücher und schreiben eine Minuten lang alle Stichworte zum Text auf, die ihnen einfallen. In einem zweiten Schritt schreiben sie mithilfe ihrer Stichworte einen eigenen Text über *Work & Travel*. Sammeln Sie die Texte ein und korrigieren Sie sie. So gewinnen Sie auch einen Überblick über das Textverständnis. Zusätzlich können Sie aus den Texten einen neuen Text erstellen, in den Sie typische Fehler der TN einbauen. Die TN korrigieren den Text zu zweit, bevor er im Plenum besprochen wird. Erst danach erhalten die TN ihren eigenen Text mit den Korrekturhinweisen zurück.		
2	EA	a Die TN überlegen, was sie gern machen würden, und suchen eine passende Organisation im Internet, zu der sie Informationen sammeln.		
	EA, GA, PL	b Die TN schreiben kurze Texte zu den Fragen, suchen passende Fotos und machen daraus eine kleine Broschüre. In Kleingruppen stellt jeder TN sein Programm vor. Die Broschüren werden in den kommenden Unterrichtsstunden im Kursraum ausgelegt, sodass alle einmal hineinlesen können. Regen Sie nach etwa einer Woche eine Abschlussdiskussion zum Thema an: Welche Organisationen fanden die TN besonders interessant? Haben sie Anregungen erhalten? Plant jemand, an so einem Programm teilzunehmen?		

Ausklang

	FORM	ABLAUF	MATERIAL	ZEIT
1	PA, PL	Die TN ergänzen zu zweit den Liedtext. Dann hören sie das Lied, vergleichen und korrigieren. Anschließend Kontrolle. *Lösung:* 1. Freunde, Länder, Hilfe, Sonne, Tag, Spiel; 2. Blume, Brot, Spaß, Schmerz, Bild, Musik, Tanz; 3. Worte, Liebe, Lied, Träume, Fragen, Hände	CD 2.33	
2	PL, GA	Die TN hören das Lied noch einmal, klatschen den Rhythmus und singen mit. Zusätzlich schreiben sie in Kleingruppen eine neue Strophe zu dem Lied. Wenn die TN Ideen brauchen, geben Sie ein paar Stichwörter vor, z.B. *Menschen, die …; Der Wein, der … / den man …; Bücher, die man …; Ein Kind, das …; Ideen, die …* usw. Extra: Zum Abschluss oder in einer der noch folgenden Unterrichtsstunden können Sie das Lied noch einmal nutzen, um die Struktur von Relativsätzen einzuschleifen. Dazu stehen die TN im Kreis vor einem Stuhl. Nennen Sie ein Nomen aus dem Text, z.B. *Ein Tanz.* Wer am schnellsten einen Relativsatz wie im Lied ergänzt, darf sich setzen. Der Relativsatz darf, muss aber nicht aus dem Lied stammen. Ziel ist es, dass am Schluss alle sitzen.	CD 2.33	

Als ich fünf war, …	…, als ich mit dem Deutschlernen begonnen habe.
Als ich zum erstem Mal verliebt war, …	…, als ich einmal allein zu Hause war.
Als ich zum ersten Mal allein verreist bin, …	Als ich die Schule beendet habe, …
Als ich 18 geworden bin, …	…, als ich in die Schule gekommen bin.
Als ich euch kennengelernt habe, …	Als ich gestern einkaufen war, …
…, als es letzte Woche geregnet hat.	…, als ich den ersten Tag an der Universität war.
…, als ich noch kein Smartphone hatte.	Als ich einmal viel Zeit hatte, …

Lektion 13 4

Das große Wenn-Als-Spiel

Kindheit	Freizeit	Beruf	Fahrrad	Wetter	Ausbildung
Urlaub					Essen
Restaurant					Wohnung
Musik					Geschwister
Kleidung					Schule
Auto	Deutschkurs	Sport	Tiere	Reisen	Eltern

Das große Wenn-Als-Spiel

Stellen Sie Ihre Spielfigur auf ein Feld. Würfeln Sie und laufen Sie mit der Figur im Uhrzeigersinn.

Bei der Augenzahl 1, 3 oder 5 sagen Sie einen Satz mit *wenn*.

Bei 2, 4 oder 6 einen Satz mit *als*.

Das Feld zeigt nur das Thema an, das Wort muss nicht im Satz vorkommen, z.B. **Deutschkurs:** *Ich mag es nicht, wenn wir viele Hausaufgaben machen müssen.* Oder **Kleidung:** *Als ich ein kleines Mädchen war, wollte ich nie Röcke tragen.*

✂

Ich bin ein …-Typ.

Am wichtigsten ist für mich …

… hilft mir gar nicht.

Was ich noch sagen möchte: …

Lektion 13 6a

Mein Lieblingswort

1 Welches Wort passt? Ergänzen Sie in 2.

Schmetterling | ~~Buchsbaum~~ | Heidelberg | Eichhörnchen | Sommerregen | Humor

2 *denn, weil* oder *deshalb*? Markieren Sie.

a Buchsbaum finde ich toll. Das spreche ich total gern aus, (denn) | weil | deshalb dabei explodieren die Lippen so schön. Probieren Sie es mal: Buchsbaum – das ist fast wie Küssen.

Hagen, 27 Jahre, Student

b Mein schönstes deutsches Wort ist eigentlich kein richtiges Wort. Es ist „_______________". Das ist meine Lieblingsstadt in Deutschland, denn | weil | deshalb ich habe mein Herz dort verloren. Und seit zwei Jahren wohne ich auch dort – bei meinem Freund.

Sunny, 23 Jahre, jetzt Deutschland

c Das schönste deutsche Wort? Gibt es das? Ich weiß nicht. Nehmen Sie zum Beispiel „_______________". Das ist doch nicht schön, denn | weil | deshalb es klingt sehr hart. „Butterfly" oder „papillon" klingt in meinen Ohren viel schöner.

Hans-Gerd, 73 Jahre, Deutschland

d Mein Lieblingswort ist _______________, denn | weil | deshalb ich erstens gern lache und zweitens das Wort aus meiner Muttersprache schon kenne, „humoru".

Haruki, 28 Jahre, Japan

e Ich habe noch nie darüber nachgedacht, denn | weil | deshalb ist es gar nicht so einfach. Aber ich glaube, mein Lieblingswort ist _______________, denn | weil | deshalb ich den leichten Regen nach einem heißen Tag so liebe. Kennen Sie den speziellen Geruch? Herrlich!

Sophie, 40 Jahre, Österreich

f Ich finde die Aussprache von „ch" schwierig. Aber mit dem Wort _______________ kann man sehr gut üben, denn | weil | deshalb ist es auch mein Lieblingswort. Ich denke einfach an die süßen Tiere und sage das Wort. Immer wieder.

Delphine, 33 Jahre, Frankreich

Lösung: b Heidelberg, denn; c Schmetterling, denn; d Humor, weil; e deshalb, Sommerregen, weil; f Eichhörnchen, deshalb

Lesestrategie

Was ist richtig? „Lesen“ Sie den Zeitungsartikel und kreuzen Sie an.

1 Die Organisatoren von „Weihnachten im Schuhkarton“ verschicken
 ○ Schuhe ○ Geschenke an arme Kinder in Osteuropa und Asien.

2 Das Projekt hat ○ großen ○ keinen Erfolg.

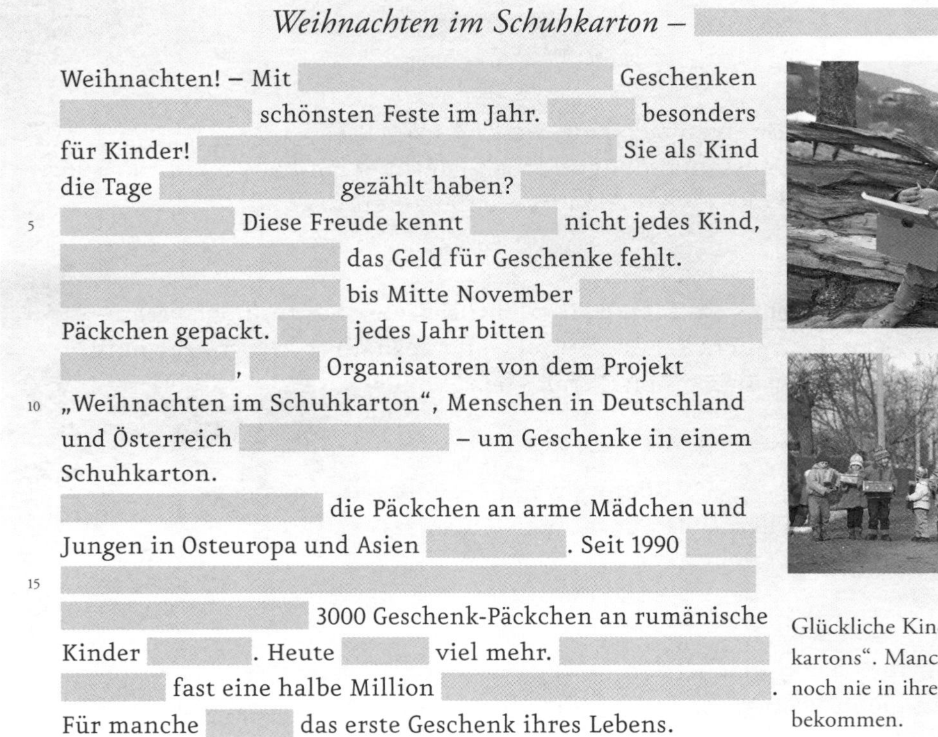

Weihnachten im Schuhkarton – ______!

Weihnachten! – Mit ______ Geschenken
______ schönsten Feste im Jahr. ______ besonders
für Kinder! ______ Sie als Kind
die Tage ______ gezählt haben? ______
5 ______ Diese Freude kennt ______ nicht jedes Kind,
______ das Geld für Geschenke fehlt.
______ bis Mitte November ______
Päckchen gepackt. ______ jedes Jahr bitten ______
______, ______ Organisatoren von dem Projekt
10 „Weihnachten im Schuhkarton“, Menschen in Deutschland
und Österreich ______ – um Geschenke in einem
Schuhkarton.
______ die Päckchen an arme Mädchen und
Jungen in Osteuropa und Asien ______. Seit 1990 ______
15 ______
______ 3000 Geschenk-Päckchen an rumänische
Kinder ______. Heute ______ viel mehr. ______
______ fast eine halbe Million ______.
Für manche ______ das erste Geschenk ihres Lebens.

Glückliche Kinder mit ihren „Schuhkartons“. Manche der Kinder haben noch nie in ihrem Leben ein Geschenk bekommen.

Lektion 14 | 5

Passiv-Spiel

Auf der Einweihungsparty

Bei den Ford-Werken

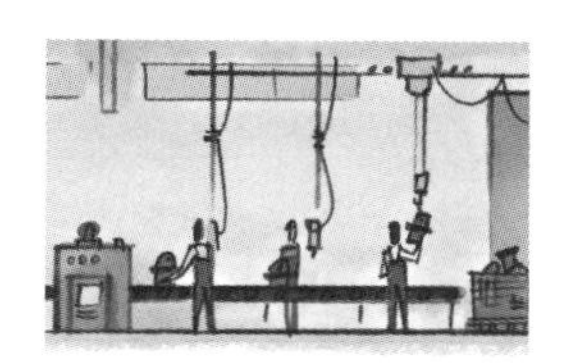

Im Uni-Café

An Silvester

Auf der Post

Im Zug

Im Sportverein

Auf dem Flohmarkt

Beim Arzt

Im Kino

Im Kunstmuseum

Im Urlaub

Einen Paketschein ausfüllen

DHL Paket und Päckchen Deutschland + EU

DHL

Absender / Expéditeur

Postleitzahl • Ort

Deutschland / Allemagne

(96)993017

Empfänger / Destinataire

Tel. (nur bei EU-Versand oder Sperrgut)

Straße und Hausnummer (deutschlandweit kein Postfach)

Postleitzahl Ort

Bestimmungsland / Pays de destination

912-685-000 07/13

Bitte hier Frankierung für Pakete oder Päckchen aufkleben

Zulässige Maße und Gewichte: siehe Rückseite.

Die DHL PAKETMARKE EU ist für den Versand in folgende Länder gültig: Belgien, Bulgarien, Dänemark (außer Färöer, Grönland), Estland, Finnland (außer Ålandinseln), Frankreich (außer überseeische Gebiete und Departements), Griechenland (außer Berg Athos), Großbritannien (außer Kanalinseln), Irland, Italien (außer Livigno und Campione d'Italia), Kroatien, Lettland, Litauen, Luxemburg, Malta, Monaco, Niederlande (außer außereuropäische Gebiete), Österreich, Polen, Portugal, Rumänien, Schweden, Slowakei, Slowenien, Spanien (außer Kanarische Inseln, Ceuta, Melilla), Tschechische Republik, Ungarn, Zypern (außer Nordteil)

JETZT NEU:

Immer 100 % CO_2-neutral – deutschlandweit

GOGREEN

Der CO_2-neutrale Versand mit DHL

Wünschen Sie zusätzliche Services? Bitte hier Servicemarken aufkleben.

Weitere Informationen: siehe Rückseite.

Auftragnehmer (Frachtführer) ist die Deutsche Post AG. Es gelten für Päckchen die AGB BRIEF NATIONAL bzw. INTERNATIONAL und für Pakete die AGB DHL PAKET / EXPRESS NATIONAL bzw. PAKET INTERNATIONAL in der jeweils zum Zeitpunkt der Einlieferung gültigen Fassung. Der Absender versichert, dass keine danach ausgeschlossenen Güter in der von ihm eingelieferten Sendung enthalten sind.

DHL Paket und Päckchen WELT

Deutsche Post

Hinweise zum Ausfüllen: siehe Rückseite

Nur auf Päckchen kleben!

914-400-000 10/12

❶ **Absender** / Expéditeur

Postleitzahl Ort

Deutschland / Allemagne

(96)993019

Empfänger / Destinataire

Tel.

Land / Pays de destination

❷ **Bei Unzustellbarkeit** / En cas de non-livraison

☐ **Rücksenden** / Renvoyer à l'expéditeur

☐ **Preisgabe** / Traiter comme abandonné

Bitte nicht beschriften

❸ ☐ **PREMIUM / PAR AVION PRIORITAIRE**

❹ **Zollinhaltserklärung CN 22**
Déclaration en douane CN 22

Kann amtlich geöffnet werden
Peut être ouvert d'office

Art der Sendung (bitte ankreuzen) / Catégorie de l'envoi

☐ **Geschenk** Cadeau ☐ **Dokumente** Documents ☐ **Warenrücksendung** Retour de marchandise ☐ **Sonstiges:** Autre:

Inhaltsbeschreibung Description détaillée du contenu	**Nur bei Handelswaren:** Zolltarif-Nr. / N° tarifaire Ursprungsland / Pays d'origine	**Menge** Quantité	**Nettogewicht, kg** Poids net, kg	**Wert, Währung** Valeur, Monnaie
Ich, der/die Unterzeichnende, dessen/deren Name und Adresse auf der Sendung angeführt sind, bestätige, dass die in der vorliegenden Zollinhaltserklärung angegebenen Daten korrekt sind und dass diese Sendung keine gefährlichen, gesetzlich oder aufgrund postalischer oder zollrechtlicher Regelungen verbotenen Gegenstände enthält. Ich übergebe insbesondere keine Güter, deren Versand, Beförderung oder Lagerung gemäß den AGB ausgeschlossen ist. Auftragnehmer: Deutsche Post AG. Es gelten die AGB PAKET INTERNATIONAL bzw. die AGB BRIEF INTERNATIONAL in der zum Zeitpunkt der Einlieferung gültigen Fassung. / Je soussigné(e), dont le nom et l'adresse figurent sur l'envoi, certifie que les renseignements donnés dans la présente déclaration sont exacts et que cet envoi ne contient aucun objet dangereux ou interdit par la législation ou la réglementation postale ou douanière. Je ne transmets notamment aucune marchandise dont l'envoi, le transport ou l'entreposage est exclu par les Conditions Générales. Mandataire: Deutsche Post AG. Les CGV PAKET INTERNATIONAL resp. CGV BRIEF INTERNATIONAL, valides au moment de la livraison, sont applicables.			**Gesamtgewicht, kg** Poids total, kg	**Gesamtwert, Währung** Valeur totale, Monnaie

❺ **Datum und Unterschrift des Absenders**
Date et signature de l'expéditeur

Lektion 15 3a

Texte lesen

TATORT ...

A ... so heißt die älteste, noch immer bestehende Krimiserie und zugleich eine der größten TV-Erfolgsgeschichten im deutschsprachigen Fernsehen. Millionen Zuschauer in Deutschland, Österreich und in der Schweiz sehen am Sonntagabend die neueste Folge. Aber auch die alten Fälle kommen immer wieder ins 5 Programm, sodass man inzwischen fast jeden Tag *Tatort* sehen kann. Manche Gaststätten und Kneipen organisieren am Sonntagabend sogar ein *Tatort*-Public Viewing. Und wer den neuen *Tatort* am Sonntag nicht gesehen hat, findet ihn danach noch sieben Tage lang im Internet: in der ARD-Mediathek.

B Was macht diesen Fernsehkrimi eigentlich so besonders? Ganz einfach: 10 Die Zuschauer suchen Abwechslung, und der *Tatort* gibt sie ihnen. Er spielt in verschiedenen Städten und Regionen, und jeder Ort hat seine eigenen Hauptdarsteller. So begegnet man zum Beispiel in Niedersachsen der kühlen Kommissarin Charlotte Lindholm aus Hannover, in Österreich dem einsamen Inspektor Moritz Eisner aus Wien, in Kiel dem brummigen Kommissar Borowski. Wer 15 möchte, kann seinen Freunden auch *Tatort*-Sendungen mit seinem Lieblingsdarsteller kaufen und sie ihnen einfach als DVD-Box schenken.

C Fakten: Den *Tatort* gibt es seit 1970. Er ist eine Produktion der ARD, besser bekannt als Erstes Deutsches Fernsehen oder einfach: Das Erste. Das ist die Gemeinschaft von neun regionalen öffentlich-rechtlichen Sendern in Deutsch- 20 land. „Öffentlich-rechtlich" bedeutet, dass es keine Privatsender sind. Auch das Schweizer Fernsehen (SF) und der Österreichische Rundfunk (ORF) produzieren *Tatort*-Sendungen. Früher wurde nur eine Folge pro Monat gedreht, heute sind es durchschnittlich drei. Mit 90 Minuten hat der *Tatort* Spielfilmlänge. Die Produktionskosten liegen bei knapp über einer Million Euro pro Folge.

Das Satzbau-Spiel

schenken	geben	*schenken*	*geben*
empfehlen	schicken	*empfehlen*	*schicken*
leihen	bringen	*leihen*	*bringen*
erzählen	zeigen	*erzählen*	*zeigen*
holen	schreiben	*holen*	*schreiben*
kaufen	bestellen	*kaufen*	*bestellen*

der Nachbar	die E-Mail	meine Freunde	das Smartphone
die Geschichte	meine Eltern	der rote Sessel	du
ihr	der Krimi	dein Bruder	meine Kamera
das Spielzeugauto	die Freundin	der Mantel	das Kind

Lektion 15 5b

(1) Ich sehe am liebsten den *Tatort*.	(7) Wenn ich am Sonntagabend keine Zeit habe, gucke ich ihn später in der Mediathek.
(2) Ich sehe den *Tatort* immer zusammen mit Freunden.	(8) Wir treffen uns am Sonntag immer in der Kneipe und sehen den neuen Fall gemeinsam.
(3) Manchmal gucke ich ihn allein zu Hause, aber meistens zusammen mit einer Freundin.	(9) Meine Lieblingssendung ist der *Tatort*.
(4) Dazu gibt's immer Erdnüsse und ein, zwei Gläschen Sekt oder Wein.	(10) Ich habe keine Lieblingssendung.
(5) Ich sehe oft den *Tatort*, aber ich habe keine feste Gewohnheit.	(11) Ich treffe mich an jedem Sonntagabend mit zwei Freundinnen.
(6) Ja, den *Tatort*.	(12) Dann kochen wir zusammen und anschließend sehen wir uns den neuen *Tatort* an.

Placemat

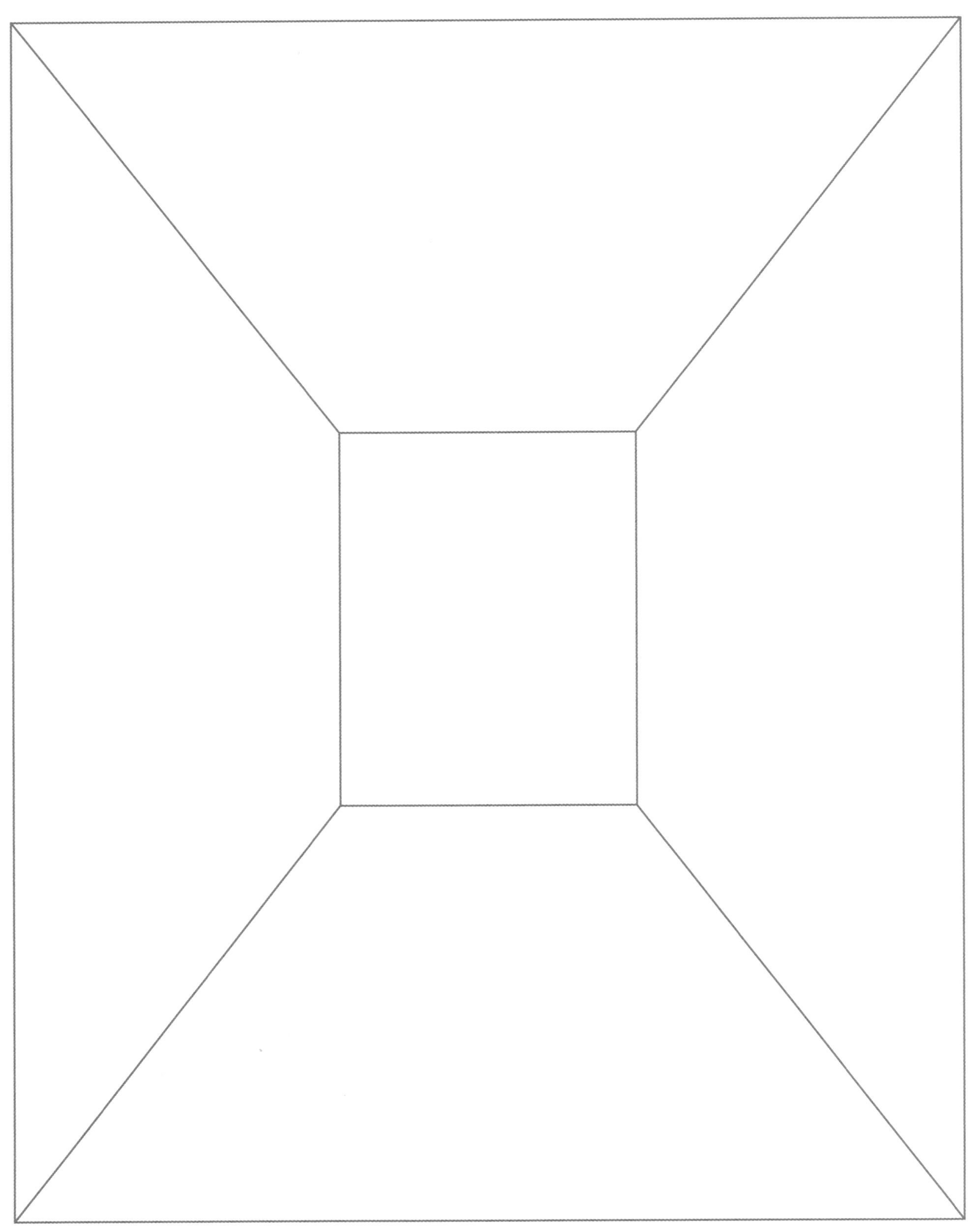

Lektion 16 4a

Über die neuen Nachbarn will ich alles wissen

Partner A

Familie Müller-Gruber ist neu ins Nachbarhaus eingezogen. Fragen Sie Ihre Partnerin / Ihren Partner höflich nach den fehlenden Informationen und ergänzen Sie.

- Ich würde gern wissen, wie Herr Müller-Gruber mit Vornamen heißt.
- Er heißt Heinrich.
- Ah. Heinrich heißt er.

	Frau Müller-Gruber	Herr Müller-Gruber	ihre Kinder
Vorname?	Erika	Heinrich	Sohn: Heinz-Gerd, Tochter: ______
Beruf?		Informatiker	- - -
Alter?		42 Jahre	Tochter: 13 Jahre, Sohn: ______
Auto?/Fahrrad?	ja; das kleine gelbe Auto vor dem Haus		
Am Wochenende?		den ganzen Tag im Garten schlafen	Fußball spielen, laut sein
Sonst noch von ... wissen?	Herr Müller-Gruber ihr zweiter Ehemann		Sohn: kein guter Schüler, Tochter: ______

Über die neuen Nachbarn will ich alles wissen

Partner B

Familie Müller-Gruber ist neu ins Nachbarhaus eingezogen. Fragen Sie Ihre Partnerin / Ihren Partner höflich nach den fehlenden Informationen und ergänzen Sie.

- Ich würde gern wissen, wie Herr Müller-Gruber mit Vornamen heißt.
- Er heißt Heinrich.
- Ah. Heinrich heißt er.

	Frau Müller-Gruber	Herr Müller-Gruber	ihre Kinder
Vorname?		Heinrich	Sohn: ______, Tochter: Lucia
Beruf?	Verkäuferin in einem Modegeschäft		- - -
Alter?	42 Jahre		Tochter: ______, Sohn: 11 Jahre
Auto?/Fahrrad?		ja; ein großer schwarzer Dienstwagen	ja; beide Rennräder
Am Wochenende?	gern im Garten arbeiten		
Sonst noch von ... wissen?		gestern mit einem großen Blumenstrauß nach Hause gekommen	Sohn: ______, Tochter: Ballettunterricht, teuer

Im Hotel

Wer sagt das? Ordnen Sie zu. Ordnen Sie dann das Gespräch.

(H) Hotelpersonal (G) Gast

	Guten Tag, kann ich Ihnen helfen?
	Gern. Darf ich fragen, wie lange Sie bleiben möchten?
	Ich bleibe drei Nächte.
	Und dann würde ich gern wissen, ob Sie ein Einzel- oder ein Doppelzimmer brauchen?
	Also, ein Einzelzimmer für drei Nächte. Tut mir leid, aber ich habe nur noch ein Doppelzimmer. Das können Sie gern haben.
	Können Sie mir sagen, was es kostet?
	Kann ich auch Halbpension haben?
	Natürlich, 75 Euro mit Frühstück.
	Wir bieten leider keine Halbpension an. Aber um die Ecke ist ein sehr gutes Restaurant.
	Ja, ich möchte ein Zimmer buchen.
	Ein Einzelzimmer. Ich bin allein.
	Sehr gern. Hier ist Ihr Schlüssel, Zimmer 233, im zweiten Stock. Ich wünsche Ihnen einen angenehmen Aufenthalt.
	Also gut, dann nehme ich das Zimmer.

Lektion 17 2

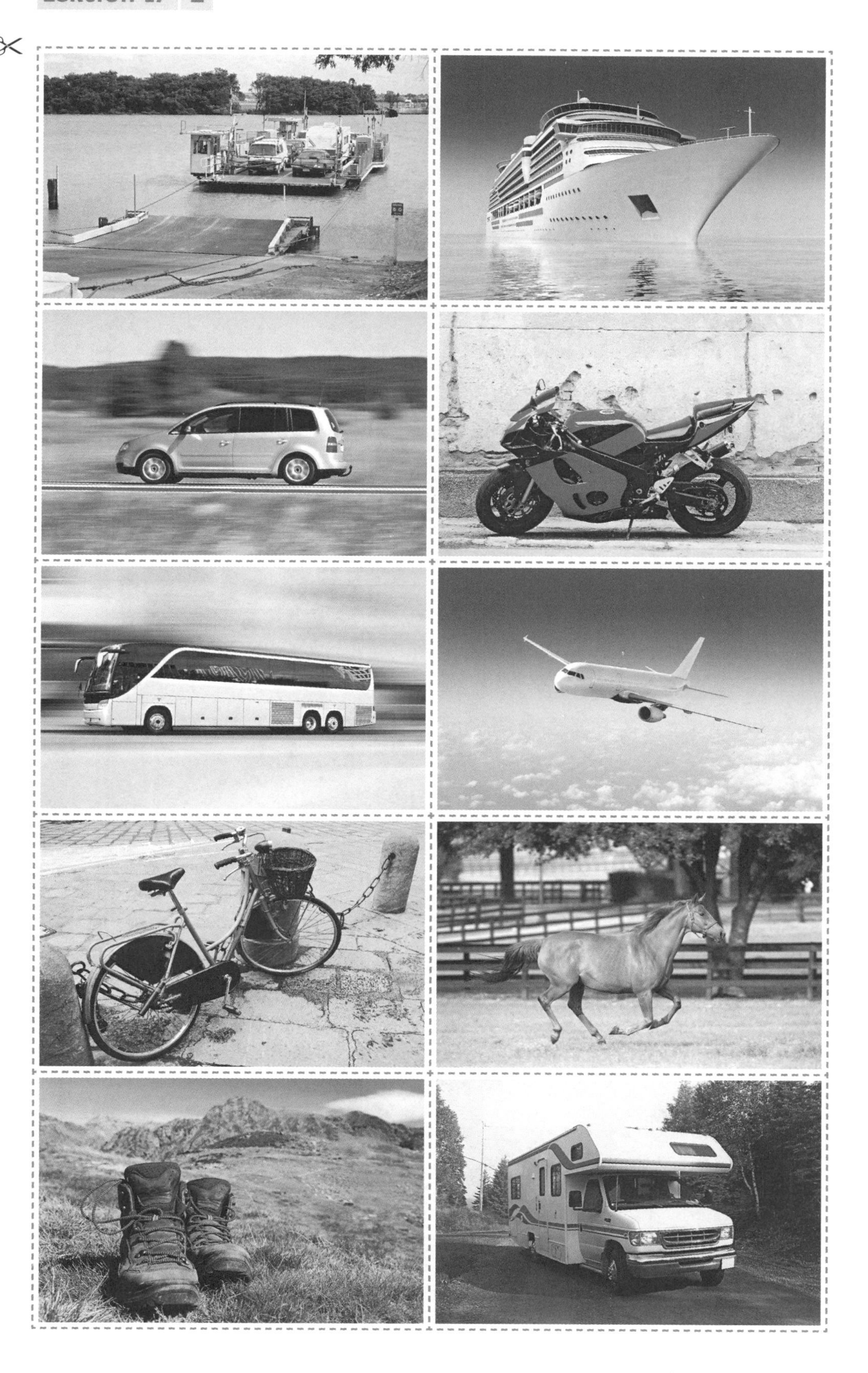

Liebe Tante Erna,
viele Grüße aus Ismaning! Das Wetter ist wunderbar und wir genießen den schönen Herbst.
Viele Grüße, auch von Heinz,
Deine Franziska
Erna Müller
Blumenstraße 138
89423 Glückstadt

Lektion 17 4d

Lesen Sie Ihren Text noch einmal und achten Sie nur auf das, was in der Frage steht. Haken Sie nach jedem Schritt ab, dass sie ihn gemacht haben, und bewerten Sie die Korrektur.

Sie können mit dieser Tabelle jeden Text kontrollieren. Nehmen Sie sich die Zeit und Sie merken bald, dass Sie viele Fehler selbst verbessern können.

	Erledigt! ✓	Das war		
		leicht	mittel	schwierig
An die Artikel gedacht? Sind die Artikel richtig? (Wir fahren in einem blauen Auto.)				
Haben die Adjektive die richtige Endung? (Wir fahren in einem blauen Auto.)				
Passt die Präposition und ist der Artikel richtig? (Wir fahren in einem blauen Auto.)				
Sind die Nomen großgeschrieben? (Wir fahren in einem blauen Auto.)				
Stehen die Verben im Hauptsatz auf Position 2? (Wir fahren in einem blauen Auto.)				
Stehen die Verben im Nebensatz (also nach *weil, dass, wenn, als*) am Ende? (Ich fahre mit dem Zug, weil ich keinen Führerschein habe.)				
Ist das Perfekt richtig gebildet? (Ich bin noch nie geflogen.)				
eigener Vorschlag				
eigener Vorschlag				
eigener Vorschlag				

Lektion 18 1

Placemat

Hitze

Lektion 18 3a

Lesen Sie die beiden Interviews und ordnen Sie die Antworten zu.

Interview A

Im Gegenteil: Ich ärgere mich darüber. | Bitteschön! | ICH nicht! | Nein danke! Ich interessiere mich nicht für Wintersport. | Auf Sonne, auf Wärme, aufs Baden, aufs Windsurfen, auf kurze Hosen, auf Sandalen, auf den Sommer! Ja, darauf freue ich mich. | Wie bitte? Soll das ein Witz sein? | ~~Hallo!~~

Interviewer: Hallo!
Er: Hallo!
Interviewer: Darf ich kurz mit Ihnen über diesen wunderbaren Winter sprechen?
Er: ______
Interviewer: Nein! Haben Sie denn keine Lust auf Eis und Schnee?
Er: ______
Interviewer: Ja aber: Wintersport, Skifahren, Schlittschuhlaufen …
Er: ______
Interviewer: Die meisten Menschen freuen sich aber doch auf einen heißen Tee, auf Glühwein, auf gemütliche Abende zu Hause …
Er: ______
Interviewer: Okay, okay! Und worauf freuen Sie sich?
Er: ______
Interviewer: Dankeschön!
Er: ______

Interview B

Ich denke, Sie mögen diesen tollen Sommer. | Na, wie Sie hier sitzen, mit geschlossenen Augen. Ich denke, Sie sind so richtig zufrieden mit diesem schönen Sommertag. | Erstaunlich! Tja, vielen Dank! Tschüs! | Ja. Ich interessiere mich für Ihre Meinung zum Wetter. | Hallo? Hallo! | Wirklich? Erzählen Sie mehr darüber.

Interviewer: ______
Sie: Wie bitte? Sprechen Sie mit mir?
Interviewer: ______
Sie: So? Na, was glauben Sie? Welche Meinung habe ich?
Interviewer: ______
Sie: Wie kommen Sie darauf?
Interviewer: ______
Sie: Quatsch! Ich habe vom Winter geträumt.
Interviewer: ______
Sie: Ich hasse den Sommer und ärgere mich über die Hitze, über den Staub und über die vielen Insekten. Ich habe Lust auf Kälte und Schnee und ich freue mich schon aufs Skifahren und aufs Eislaufen. Na, zufrieden?
Interviewer: ______
Sie: Tschüs!

Lektion 18 3c

Spiel mit Knöpfen

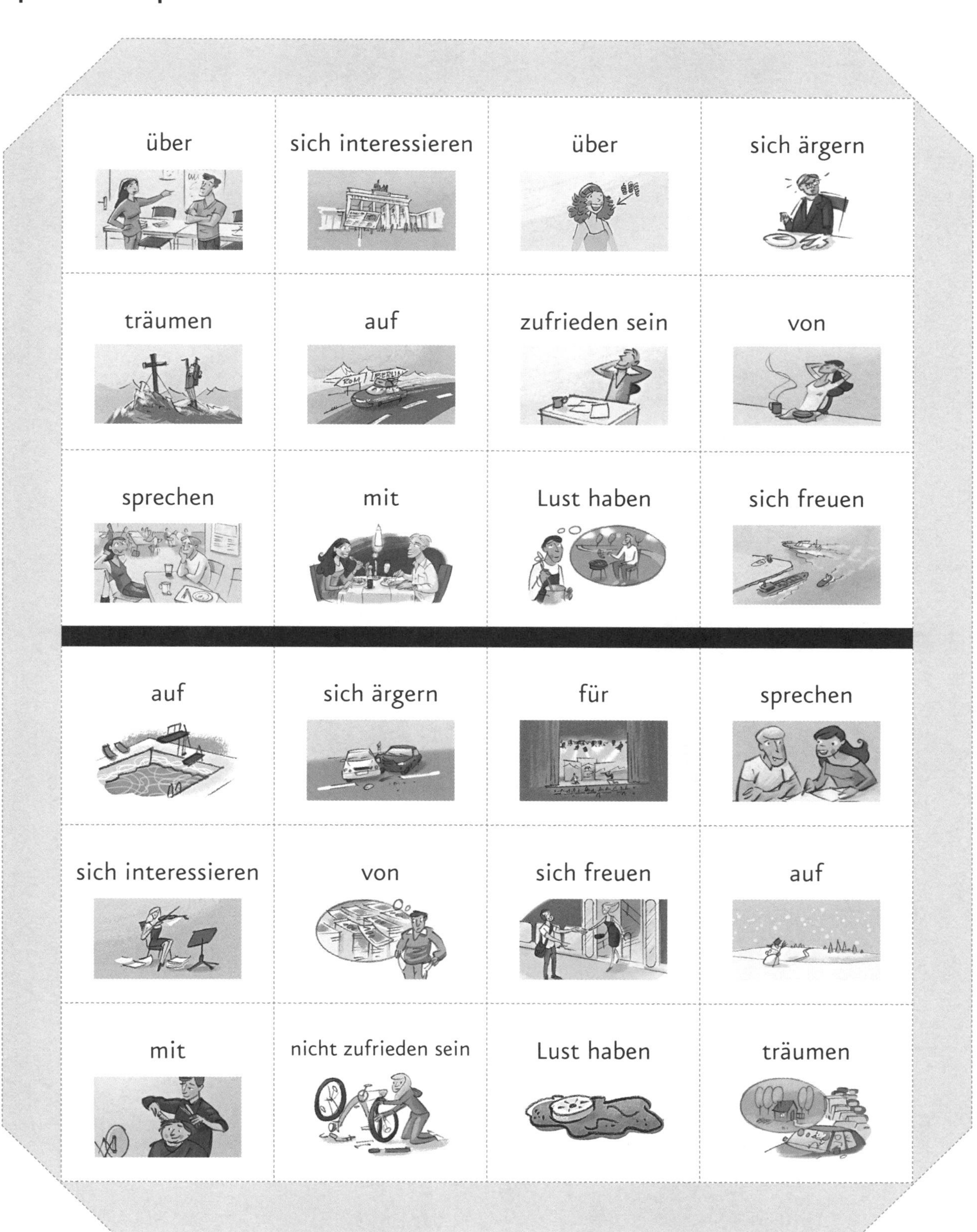

Kärtchenspiel

Wo?	Wo?
Wo?	Wo?
Wohin?	Wohin?
Wohin?	Wohin?
Woher?	Woher?
Woher?	Woher?

Lektion 19 6a

Und das ist gut?	Also, ich weiß nicht. Das hört sich nicht so toll an.
Ist das nicht eher langweilig/ uninteressant/...?	Lasst uns da hingehen.
Unsinn!	Probier/Versuch das doch mal.
Sieh das doch positiv / nicht so negativ.	Bist du denn gar nicht neugierig?
Das lohnt sich bestimmt.	Du hast recht.
Das ist wahr.	Schon gut.
Ein(e) ... ist doch/ja wirklich mal etwas anderes/Neues/ Besonderes.	Wollen wir etwas unternehmen / zusammen weggehen?
Ich habe einen tollen Vorschlag: Wie wäre es mit ...?	Lass uns doch ...
Glaub mir, das ist mal etwas anderes/Neues/Besonderes.	Willst du zu(m/r) ... mitkommen?

auf Vorschläge zögernd reagieren	**jemanden überzeugen/ begeistern**
sich überzeugen lassen	**etwas vorschlagen / sich verabreden**

Lektion 20 3a

Zahlenrätsel

Finden Sie die Wörter. Jeder Zahl entspricht ein Buchstabe (Achtung: ä = ae, ö = oe).

1	2	3	4	5	6	7	8	9	10	11	12	13	14	15	16	17	18	19
R	O	M	A	N														

Lösung: 1 R; 2 O; 3 M; 4 A; 5 N; 6 Z; 7 E; 8 I; 9 T; 10 U; 11 G; 12 B; 13 L; 14 D; 15 C; 16 H; 17 K; 18 S; 19 F

Lektion 20 3b

A Ergänzen Sie die Artikel, wenn nötig. Vergleichen Sie dann mit dem Text im Kursbuch.

Anita – „Heidi – deine Welt sind die Berge!"
Oh, ich habe so gern gelesen! Mit mein___ Büchern wollte ich d___ langweiligen Schulalltag entkommen. Ich habe eigentlich alles gelesen. Gedichte, Kurzgeschichten, ja sogar Sachbücher und d___ Zeitung von mein___ Vater. Manchmal habe ich nur d___ Hälfte verstanden. Nur Schulbücher habe ich nicht gern gelesen. Auch wenn ich d___ lesen sollte. Mein___ Lieblings-buch? Am liebsten mochte ich *Heidi*. D___ ist ein___ Roman von Johanna Spyri. D___ wurde ja später oft verfilmt und ist auf d___ ganzen Welt bekannt. Wegen Heidi gehe ich noch heute gern in d___ Berge. Ich habe d___ Buch bestimmt 10-mal gelesen. Und natürlich war ich in d___ „Geißenpeter" verliebt!

B Ergänzen Sie die Verben. Vergleichen Sie dann mit dem Text im Kursbuch.

Lucy – „Wir seien König Kumi-Ori das Zweit!"
Ich habe alle Bücher von Christiane Nöstlinger gelesen. Sie ________ eine österreichische Autorin. Eines ihrer besten Kinderbücher ________ der *Gurkenkönig*. Die Geschichte ________ mich mit 24 Jahren immer noch zum Lachen, wie damals! Der Gurkenkönig ________ ein seltsames Kartoffelwesen. Er ________ aus dem Keller und ________ bei Familie Hogelmann ein. Er ________ dauernd Befehle und lässt sich ________. Außerdem ________ er mit völlig falscher Grammatik. Typische Mädchenbücher über Liebe oder Pferde mochte ich gar nicht. Aber meine kleine Schwester ________ sie super. Heute ________ ich gerne Krimis.

C Hier sind einige Wörter an der falschen Stelle. Korrigieren Sie. Vergleichen Sie dann mit dem Text im Kursbuch.

Julius – „Bringt den Käse mit dem geschmolzenen Kessel!"
Am liebsten habe ich **Käsefondue** gelesen. Obwohl ich eigentlich keine **Taschenlampe** lesen durfte. Also habe ich heimlich unter der **Literatur** gelesen. Mit einer **Bettdecke**. Erst Jahre spä-ter hat meine Mutter auch mal ein **Kind** gelesen. Sie hat gelacht und musste zugeben, dass das auch **Comics** ist. Auf jeden Fall habe ich mit **Latein** viel gelernt. Sogar **Asterix** hat mir plötzlich Spaß gemacht. Ich kann allen Eltern nur raten: Egal, was Ihr **Asterix** liest, Hauptsache, es liest. Am besten ist der 16. Band der Comic-Reihe, **Asterix-Comics** *bei den Schweizern*. Noch heute wird bei jedem **Asterix-Heft** daraus zitiert.

Lektion 20 4b

Über die Kindheit erzählen

Schulweg	auf Bäume klettern	Urlaub und Reisen
Zahnarzt	Musik/ Instrument	eigene Wohnung
Kleidung	lesen	allein aus-/ weggehen
Geschwister	Sport	Angst haben
ins Bett gehen	erste Liebe	Tiere

Lektion 20 6c

Märchen – ganz modern

Wählen Sie ein Märchen und erzählen Sie es neu. Hier finden Sie einige Ideen.

Hänsel und Gretel mit GPS-Gerät

arme Eltern | der Wald | weit laufen | das Hexenhaus | den Weg falsch eingeben | die Hexe

Das elektrische Rotkäppchen

die Großmutter besuchen | der Korb mit Wein und Kuchen | Blumen pflücken | der Wolf | fressen

Aschenputtel in der Disco

die böse Stiefmutter | zwei schöne Schwestern | in die Disco | der Tanzwettbewerb | das Handy vergessen

Schneewittchen beim Online-Versand

die sieben Zwerge | beim Online-Versand arbeiten | die böse Königin | ein Päckchen schicken | der Prinz | die Bestellung

Es war einmal ...

Oder haben Sie eine eigene Idee? Sammeln Sie Stichwörter.

____

____

____

Karten über Karten

Machen Sie Notizen zu den Fragen und fragen Sie dann Ihre Partnerin / Ihren Partner.

	Ich	Meine Partnerin / Mein Partner
Wie viele Karten haben Sie im Geldbeutel?		
Bezahlen Sie oft mit EC-Karte oder Kreditkarte? Wo? Wann?		
Warum bezahlen Sie (nicht) oft bargeldlos?		
Was bezahlen Sie immer mit Bargeld?		
Haben Sie Kundenkarten von Firmen oder Geschäften?		
Was ist Ihre Meinung zu Kundenkarten?		
Welche Karte ist am wichtigsten für Sie?		
Jemand stiehlt Ihre Karte. Kennen Sie die Notfall-Telefonnummer?		
Und Ihre Großeltern? Benutzen sie Karten? Was denken sie darüber?		

Lektion 21 4c

Der hat meine Tasche gestohlen!

Beschreiben Sie den Täter. Ihre Partnerin / Ihr Partner soll den richtigen Täter erraten.

- ● Der Mann hatte einen Bart und lange Haare.
- ■ Meinst du diesen hier?
- ● Nein, er hatte dunkle Haare.
- ■ Ach, dann ist dieser da der Täter.

Lektion 21 6c

Nach dem Einbruch

Bei Ihnen und Ihrer Partnerin / Ihrem Partner hat es einen Einbruch gegeben. Was lassen Sie wen machen? Was machen Sie selbst? Entscheiden Sie zu zweit.

Was?	Wen machen lassen? / Selbst machen?
nach den Tätern suchen	die Polizei
die Tür und die Fenster reparieren	Firma Fenster und Türen Bolzmaier
die Schränke wieder einräumen	wir selbst
kaputte Lampen wechseln	unser Nachbar Heinz
einen Safe einbauen	eine Sicherheitsfirma
endlich unsere Uhren und Ketten fotografieren	…
die Geldkarte sperren	
Sicherheitsschlösser einbauen	
Liste von den gestohlenen Gegenständen machen	
putzen	
nach dem Haus schauen, wenn wir nicht da sind	
nach Fingerabdrücken suchen	
unbedingt die Fenster im Erdgeschoss sichern	
Licht im Garten installieren	
Nachbarn fragen, ob sie was gesehen haben	
im nächsten Urlaub den Briefkasten leeren	
die Wohnung aufräumen	
…	

◆ Die Polizei lassen wir nach den Tätern suchen.
● Ja, das ist sicher am besten. Und wer soll die Türen und Fenster reparieren?
◆ Das lassen wir …

Lektion 22 **3a**

Rösselsprung

Sie spielen zu zweit und sitzen Ihrer Mitspielerin / Ihrem Mitspieler gegenüber. Stellen Sie Ihre Spielfigur auf ein Eck-Feld. Ziehen Sie die Figur immer zwei Felder in gerader Linie und eins nach rechts oder links (= Rösselsprung, wie das Pferd im Schach). Sagen Sie zu dem Thema auf dem Feld einen Satz mit *seit(dem)* oder *bis*. Das Wort auf dem Feld muss nicht vorkommen. Dann wird das Feld mit einer Münze oder einem Stück Papier abgedeckt. Wer nicht mehr auf ein freies Feld springen kann, hat verloren.

Heimatland	Fahrrad	Ausbildung/ Studium	Sport
Familie	Smartphone	Lesen	Geburtstag
Bus und Bahn	Kreditkarte	Beruf/Job	Auto
Deutschkurs	Wohnung	Hochzeit	Kindheit

Fahrrad oder Auto?

Lesen Sie den Text und schreiben Sie ihn neu. Benutzen Sie die Konjunktionen am Rand. Vergleichen Sie Ihren Text mit Ihrer Partnerin / Ihrem Partner.

Text	Rand
Heide und Klaus hatten drei Jahre ein eigenes Auto. Aber nun sind sie von	bis
Düsseldorf nach Münster gezogen. Jetzt fahren die beiden viel Fahrrad und haben	
das Auto letzte Woche verkauft. Denn sie haben gemerkt: Das Auto ist viel zu	dass
teuer. Heide fährt mit dem Fahrrad zum Einkaufen und es geht ihr viel besser.	seit(dem)
„Ich komme nach Hause und bin total entspannt. Die frische Luft tut einfach gut“,	wenn
sagt sie. Und Klaus meint: „Ich war immer viel erkältet. Ich bin in die Fahrrad-	bis
stadt Münster gezogen. Und nun bin ich fit wie ein Turnschuh.“	
Für Heide und Klaus hat sich der Umzug gelohnt, Klaus hat eine bessere Stelle	weil
bekommen. Er ist Chefkoch in der Uni-Mensa und verdient auch mehr Geld.	seit(dem)
Heide will noch zwei Jahre arbeiten, dann wollen sie ein Kind haben. „Aber ich	bis
will mindestens drei“, lacht Heide und Klaus guckt kritisch. „Ich war immer	
allein, ich hatte keine Geschwister“, sagt Heide.	denn
Klaus glaubt: Dann müssen sie wieder ein Auto kaufen. Drei kleine Kinder und	dass
nur Fahrräder – das geht nicht! Klaus weiß, wovon er spricht. Er und seine zwei	als
Brüder waren klein und seine Eltern hatten kein Auto. „Es war manchmal sehr	
schwierig für meine Eltern“, sagt er. Jetzt haben seine Eltern ein kleines Auto und	
genießen es. Klaus hat kein Auto mehr, aber er leiht es sich manchmal von seinen	seit(dem)
Eltern. „Wir wollen Freunde besuchen, dann brauchen wir auch mal ein Auto.“	wenn

Lösung: Heide und Klaus hatten drei Jahre ein eigenes Auto, bis sie von Düsseldorf nach Münster gezogen sind. … Sie haben gemerkt, dass das Auto viel zu teuer ist. Seit(dem) Heide mit dem Fahrrad zum Einkaufen fährt, geht es ihr viel besser. „Wenn ich nach Hause komme, bin ich total entspannt. … Ich war immer viel erkältet, bis ich in die Fahrradstadt Münster gezogen bin.“ … Für Heide und Klaus hat sich der Umzug gelohnt, weil Klaus eine bessere Stelle bekommen hat. Seit(dem) er Chefkoch in der Uni-Mensa ist, verdient er auch mehr Geld. Heide will noch zwei Jahre arbeiten, bis sie ein Kind haben. … „Ich war immer allein, denn ich hatte keine Geschwister“, sagt Heide. Klaus glaubt, dass sie dann wieder ein Auto kaufen müssen. … Als er und seine zwei Brüder klein waren, hatten seine Eltern kein Auto. … Seit(dem) Klaus kein Auto mehr hat, leiht er es sich manchmal von seinen Eltern. „Wenn wir Freunde besuchen wollen, dann brauchen wir auch mal ein Auto.“

Lektion 22 5c

Diskutieren Sie über die Meinungen.

Ich mache vieles lieber am Ort. Ich finde es schön, wenn ich mit den Menschen sprechen kann.

Wenn ich in einem Geschäft etwas Schönes sehe, vergleiche ich sofort die Preise mit meinem Smartphone.

Ich muss immer alles in die Hand nehmen können.

Spontan einkaufen – online ist das kinderleicht. Warum soll ich warten, bis die Geschäfte öffnen?

Online-Banking ist nicht nur bequem, sondern auch günstiger.

Mein Konto online führen? Ohne mich! Da passieren viel zu viele Fehler.

Ich mache viel online. Dann kann ich gemütlich zu Hause auf dem Sofa liegen und muss nicht raus.

Alles online ist mir zu unpersönlich.

Ich möchte eine gute Beratung. Und die bekomme ich online nicht.

Wenn ich zu viel online kaufe, weiß ich nicht mehr, wie viel Geld ich wirklich ausgebe.

Wenn ich etwas kaufe, will ich es sofort haben und nicht tagelang auf das Päckchen warten.

Glücklich und zufrieden

1 Suchen Sie sich mindestens vier Satzanfänge aus und ergänzen Sie.

a Ich bin zufrieden, wenn ______________________________

b Das letzte Mal war ich total zufrieden, als ______________________________

c Ich finde es schön, dass ______________________________

d Es geht mir gut, wenn ______________________________

e Es macht mich glücklich, wenn ______________________________

f Heute/Gestern/__________ habe ich mich total wohlgefühlt, denn ______________________________

____

g Wenn ______________________________, dann geht es mir gut.

h Seit ______________________________, bin ich richtig glücklich.

2 Schreiben Sie ein Gedicht.

Was mache ich gern? (ein Wort)
Wie? (zwei Wörter)
Wo? (drei Wörter)
Mehr erzählen (vier Wörter)
Schluss (ein Wort)

Segeln
ganz allein
auf blauem Wasser
am Himmel keine Wolken
sorgenfrei

Lektion 23 3c

Warum würden Sie das Buch (nicht) lesen?	Worüber würden Sie sich gern mit Mark Brügge unterhalten?
Finden Sie das Buch für Jugendliche wichtig?	Was halten Sie von diesem Buch?
Würden Sie das Buch verschenken? An wen?	Lieben Sie die Arbeit, die Sie machen?
Was denken Sie über Mark Brügge und sein Leben?	Denken Sie, dass ein(e) Fabrikarbeiter(in) seine/ihre Arbeit liebt / lieben kann?
Können Sie jemanden wie Mark Brügge verstehen?	Wie können Mark Brügges Tipps Jugendlichen helfen?
Kennen Sie jemanden, der das Buch lesen sollte?	Was würden Sie jemandem raten, der nicht weiß, was er werden will?

Lektion 23 4a

Relativsatz-Domino

den ich gesucht habe.	Klaus ist der Mensch,
den ich am meisten liebe.	Schau, das ist die Tasche,
die ich letzte Woche bei *Marmani* gekauft habe.	Uff! Ist das das Auto,
das nach dem Unfall so kaputt war?	Ich finde den Laptop nicht,
den ich dir zeigen wollte.	Igitt! Das ist das Restaurant,
das so schlechtes Essen hat.	Da drüben steht die Chefin,
die den roten Sportwagen fährt.	Guck, so sieht die Hose aus,
die ich bei dem Fahrradunfall anhatte.	Ach, unter der Zeitung liegt das Buch,
das ich schon seit Tagen vermisse.	Da wohnen die Leute,
die immer so laut Musik hören.	Eine hübsche Sonnenbrille,
die du dir ausgesucht hast.	Bügeln ist die Hausarbeit,
die mir wirklich keinen Spaß macht.	In der Neumannstraße ist die Kneipe,
die eine so nette Bedienung hat.	Hier sind die zehn Euro,
die du mir geliehen hast.	Ach! Du hast den Schlüssel,

Lektion 24 3

Wortdefinitionen

die Erlaubnis zum Autofahren	Sie liegt zwischen zwei Ländern. Man muss den Pass zeigen.
Ohne ihn können Sie nicht in andere Länder reisen.	Sie schützt vor Krankheiten. Sie ist Pflicht, wenn man in ein bestimmtes Land reisen möchte.
Damit kann man überall problemlos und bargeldlos bezahlen.	Dort wird kontrolliert, was und wie viel Sie in ein anderes Land mitnehmen.
Abreise mit einem Flugzeug	die Erlaubnis für den Aufenthalt in einem anderen Land
das Geld, das man im Geldbeutel hat	ein anderes Wort für Pass
Vertretung von einem Land in einem anderen Land	Umsteigen von einem Flugzeug in ein anderes
Das braucht man für eine Flugreise, eine Zugfahrt oder auch in der Straßenbahn.	Wenn man ankommt, nennt man das auch die …
ein Wort für alle Koffer und Taschen, die man auf eine Reise mitnimmt	Hier kommen Flugzeuge an und fliegen ab.
ein anderes Wort für eine Urlaubsfahrt	Wenn das Flugzeug zu spät ankommt, hat es …

Was ist die schönste Erinnerung an deine Arbeit?

Waren die Vorbereitungen kompliziert?

Welche Pläne hast du für die Zukunft?

Was war deine letzte Arbeitsstelle in Deutschland?

Wie sah dein Alltag aus?

Hast du schon mal ein ähnliches Projekt gemacht?

Was hast du vermisst?

Lektion 24 5a

Kindheitserinnerungen

Fragen Sie Ihre Kurskollegen. Wer antwortet mit Ja? Notieren Sie den Namen.

● Fandest du die Schulferien langweilig?
■ Ja, oft, weil ich meine Schulfreunde nicht gesehen habe. /
Nein, ich hatte nie Langeweile.

	fand die Schulferien langweilig.
	bekam Süßigkeiten von der Oma, wenn sie/er sie besuchte.
	musste auf die jüngeren Geschwister aufpassen.
	durfte so lange aufbleiben, wie sie/er wollte.
	machte selten die Hausaufgaben.
	gab anderen Kindern immer etwas von den Süßigkeiten ab.
	kam oft zu spät zur Schule.
	hatte kein eigenes Fahrrad.
	sah manchmal heimlich fern.
	wollte unbedingt einen Hund haben.
	fand Superman toll.
	war nicht gern allein zu Hause.
	konnte schon mit vier Jahren schwimmen.
	war in die Klassenlehrerin / den Klassenlehrer verliebt.
	sagte anderen die Lösungen in Klassentests/Prüfungen.
	war mit einem Schüleraustausch im Ausland.
	eigener Vorschlag
	eigener Vorschlag

Wörter

Name: ______________________

1 Was passt nicht? Streichen Sie das falsche Wort durch.

a Vokabelkärtchen schreiben – anschauen – ~~lösen~~
b Sprachen sprechen – lernen – korrigieren
c Wörter wiederholen – bewegen – sich merken
d Sätze aufschreiben – zeichnen – sich merken
e Bilder anschauen – übersetzen – zeichnen
f Wörter aufschreiben – übersetzen – lösen
g Grammatikaufgaben lösen – bewegen – korrigieren

____ / 6 Punkte

2 Ergänzen Sie.

a Ich muss dringend diesen Brief verschicken, aber ich finde keinen _Briefkasten_ (stiefBrkaen).
b Sieh mal: Oma hat ein ______________ (ckäPehnc) zu deinem Geburtstag geschickt.
c Sie müssen das Formular noch ______________ (uerechnintrsbe). Hier ist Platz für Ihre ______________ (infcerhUtsrt).
d Das ______________ (ePatk) geht zurück an den ______________ (rAebsned), denn der ______________ (Egfmpäenr) hat eine neue Adresse.
e Der Brief ist groß und schwer. Bitte lass ihn am ______________ (alchteSr) noch wiegen.
f Willst du wirklich eine Flasche Wein verschicken? Du musst sie gut ______________ (eainpcenk).

____ / 8 Punkte

3 Finden Sie noch sieben Wörter aus dem Wortfeld Fernsehen und notieren Sie sie mit Artikel.

~~Send~~ | Fol | Privat | schau | Rund | gramm | Zu | film | er | ~~ung~~ | Se | rie | Spiel | ge | funk | sender | Pro

die Sendung ______________ ______________ ______________
______________ ______________ ______________ ______________

____ / 7 Punkte

Strukturen

4 Schreiben Sie Sätze mit *als*.

a Ben war 14 Monate alt. Er konnte laufen. (Als Ben …)
b Birgit war mit der Schule fertig. Birgit ist ins Ausland gegangen. (Birgit ist ins Ausland …)
c Esther hat Giovanni zum ersten Mal gesehen. Sie hat sich sofort verliebt. (Als Esther Giovanni …)
d Ich war im ersten Semester. Ich habe ein Stipendium bekommen. (Ich habe ein …)
e Ich habe mein Auto verkauft. Ich bin in die Stadt gezogen. (Ich habe …)
f Max war 16 Jahre alt. Er ist zum ersten Mal ohne seine Eltern verreist. (Max ist …)

a _Als Ben 14 Monate alt war, konnte er laufen._
b ______________

g Florian hat einen neuen Job gefunden. Er hat eine große Wohnung gemietet. (Als Florian ...)
h Wir haben ein Kind bekommen. Wir waren fünf Jahre verheiratet. (Wir waren ...)

_____ / 7 Punkte

5 Im Café. Was wird alles gemacht? Schreiben Sie Sätze im Passiv.

a Gäste – begrüßen
b Reservierungen – machen
c Zeitungen – lesen
d Kaffee und Kuchen – bringen
e Rechnungen – bezahlen
f Tische – saubermachen
g Das Café – am Abend – putzen

a Gäste werden begrüßt.
b ______________________

_____ / 6 Punkte

6 Schreiben Sie Sätze.

a erzählen – die Geschichte von Rotkäppchen – seiner Tochter:
Axel erzählt seiner Tochter die Geschichte von Rotkäppchen.
b kaufen – einen Ring – seiner Freundin:
Max ______________________.
c bestellen – eine Cola – den Kindern:
Der Vater ______________________.
d empfehlen – das neue Buch von Donna Leon – den Lesern:
Die Zeitschrift „Lesezeit" ______________________.

_____ / 6 Punkte

7 Ergänzen Sie die Pronomen.

a Erzählst du mir bitte die Geschichte von Rotkäppchen? – Ach, Eva, ich habe sie dir schon tausendmal erzählt.
b Hat Max' Freundin den Ring schon? – Ja, er hat _____ _____ schon gegeben.
c Papa, wann bekommen wir unsere Cola? – Der Kellner bringt _____ _____ gleich.
d Ist das neue Buch von Donna Leon gut? – Ja, ich empfehle _____ _____, Frau Klein.

_____ / 6 Punkte

Kommunikation

8 Ordnen Sie zu.

helfen mir gar nicht | ~~muss~~ | finde ich nicht so wichtig | gibt es nur einen Weg | Ich finde es wichtig | Am allerwichtigsten

- Neue Wörter _muss_ ich oft wiederholen. Ich schreibe Vokabelkärtchen.
- Hm, Vokabelkärtchen ______________________. Ich lege sie auf den Schreibtisch und vergesse sie. Ich schreibe Wörter auf Zettel und verteile sie in der Wohnung.
- ______________________ sind für mich Kontakte mit Muttersprachlern. Ich lese gern Foren und chatte viel.
- Wirklich? ______________________, dass man oft Deutsch spricht. Im Internet lesen ______________________.
- Für mich ______________________: lernen, lernen, lernen.

_____ / 5 Punkte

9 Ordnen Sie zu.

eine tolle Idee | ~~schön~~ | Vielen Dank für | Ich freue mich schon | mag ich besonders gern | Ich bin sehr froh | sehr gefreut

Liebe Katharina,

wie _schön_, dass Du an meinen Geburtstag gedacht hast! Gestern ist Dein Päckchen angekommen, und ich habe mich ______________________. ______________________ die tollen Geschenke. Die Schokolade von Fesser & Rusch ______________________. Und auch die Schwimmbrille war ______________________! Jetzt bekomme ich keine roten Augen mehr, wenn ich im Schwimmbad trainiere. ______________________, dass wir einen Termin für Deinen Besuch gefunden haben. ______________________ auf Dich.

Bis bald und liebe Grüße
Deine Silke

_____ / 6 Punkte

10 Ergänzen Sie.

Meine L_i_ _e_ b_l_ _i_ _n_ gs _s_ _e_ _n_ dung ist der Tatort. Den sehe ich jede W__ __ __ __, das ist eine feste G __ __ oh _ h __ __ t. Meistens __ re __ __e ich mich mit Freunden in einer „Tati-Kneipe“ und wir g__ck__ __ gemeinsam. Danach t__ __ __ k __ __ wir noch ein Bier und reden über die aktuelle F__ __ __ e. Manchmal treffen wir uns auch bei mir. Dann koche ich Nudeln und wir essen vor dem F __ __ __ s__ __ __ __. Wenn ich am Sonntag k__ __ne __ei__ habe, suche ich den Tatort später in der M __ __ i __th __ __.

_____ / 10 Punkte

Lesen

11 Lesen Sie die Umfrage. Zu wem passen die Sätze?

a Edith: Ich sehe nie fern.
b ________________: Die öffentlich-rechtlichen Sender machen guten Sendungen.
c ________________: Ich würde am liebsten gar nicht bezahlen.
d ________________: Ich sehe nur sehr wenig fern.
e ________________: Ich finde den Rundfunkbeitrag in Ordnung.
f ________________: Ich finde, ich sollte weniger bezahlen.

Jeder Haushalt in Deutschland bezahlt rund 18 Euro im Monat für den öffentlich-rechtlichen Rundfunk.

ZAHLEN SIE DEN RUNDFUNKBEITRAG GERN?

Markus, 35 Jahre: Ich finde das Fernsehprogramm sehr schlecht. Warum soll ich denn dafür bezahlen? Die öffentlich-rechtlichen Sender bringen nur langweilige eigene Produktionen und Krimis, Krimis, Krimis … Ich sehe lieber amerikanische Serien auf DVD. Den Fernseher mache ich oft gar nicht mehr an.

Edith, 68 Jahre: Ich habe keinen Fernseher und höre nur Radio. Aber ich muss genauso viel bezahlen wie alle. Das ist ungerecht!

Janina, 31 Jahre: Ich interessiere mich sehr für Politik und finde, dass ARD, ZDF und die öffentlich-rechtlichen Rundfunkprogramme einen guten Job machen. Sie haben die besten Nachrichtensendungen und erklären politische Hintergründe. Das bekommt man sonst nirgends. Ich zahle die 18 Euro gern.

_____ / 5 Punkte

Schreiben

12 Sie haben zu Weihnachten ein Päckchen von Ihrem Freund Sebastian aus Deutschland bekommen. Schreiben Sie eine Postkarte zu folgenden Punkten.

Lieber Sebastian,
vielen Dank ________________
____
____
____
____
____

Liebe Grüße
____

– Dank
– Geschenk
– Neujahrsgrüße
– Wiedersehen

_____ / 8 Punkte

Gesamt: _____ / 80 Punkte

Wörter

Name: ____________________

1 Was wünscht das Hotel seinen Gästen? Lösen Sie das Rätsel und finden Sie das Lösungswort.

a Im … können Sie Sport machen und trainieren.
b Anschließend entspannen Sie sich in der ….
c Im … gibt es einen Laptop und Internetzugang.
d Im … können zwei Personen übernachten.
e Für das Auto gibt es einen eigenen …
f Abendessen gibt es im Restaurant, danach geht man gern an die …
g Übernachtung, Frühstück und Abendessen = …
h An der … werden die Gäste begrüßt.

↓ Lösung: Wir wünschen allen Gästen einen angenehmen ____________________!

_____ / 7 Punkte

2 Ordnen Sie zu.

Autobahn | Reifen | ~~Tankstelle~~ | wechseln | Motor | Fähre | Abfahrt | Panne

a Ich muss dringend tanken, wo gibt es hier denn nur eine Tankstelle?
b Am Montag habe ich einen Termin bei der Kfz-Werkstatt. Ich lasse die ____________ ____________.
c Sieh mal, das Auto dort vorn steht. – Hm, vielleicht hat es eine ____________?
d Tut mir leid, der ____________ ist kaputt. Ich fürchte, Sie brauchen ein neues Auto.
e Wir fahren jeden Sommer nach England. Ich liebe die Fahrt mit der ____________.
f Fahr bitte langsamer. Wir sind nicht auf der ____________.
g Schnell! Der Zug steht schon da, die ____________ ist in zwei Minuten.

_____ / 7 Punkte

3 Was ist das? Schreiben Sie. Notieren Sie bei Nomen auch den Artikel.

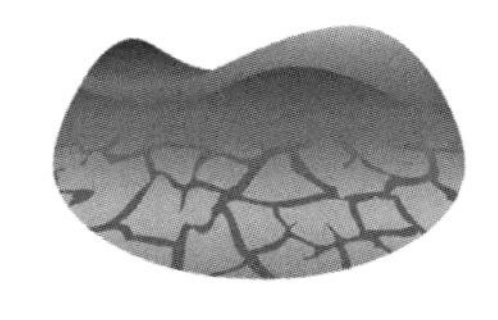

a trocken
(nkeocrt)

b ____________
(siE)

c ____________
(ruteTmepra)

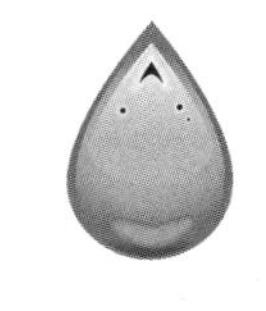

d ____________
(tefchu)

e ____________
(eitHz)

f ____________
(teKlä)

_____ / 5 Punkte

Strukturen

4 Schreiben Sie Sätze.

a Gibt es im Konferenzraum Internetzugang? Können Sie mir sagen, …
b Warum funktioniert mein Laptop nicht. Ich verstehe nicht, …
c Wie macht man den Fernseher an? Können Sie mir bitte erklären, …
d Gibt es hier in der Nähe eine nette Bar? Darf ich fragen, …
e Wann beginnt morgen die Stadtführung? Ich möchte gern wissen, …

a … ob es im Konferenzraum Internetzugang gibt?
b ______

_____ / 4 Punkte

5 Ergänzen Sie *in*, *an* oder *nach* und die Artikel, falls nötig.

Liebe Miriam,
wir machen Urlaub _am_ Meer, _____ d_____ Stadt und _____ Gebirge!
Zurzeit sind wir _____ Kroatien. Wir gehen jeden Tag gleich nach dem Frühstück _____ d_____ Strand.
Nächste Woche fahren wir dann _____ Slowenien. Wir möchten zwei Tage _____ Ljubljana bleiben
und danach _____ d_____ Berge fahren. Heiko will _____ d_____ höchsten Berg Sloweniens steigen,
den Triglav. Ich bin froh, dass wir nicht _____ d_____ Schweiz gefahren sind … und bleibe lieber
_____ d_____ Campingplatz _____ Fluss. ;-)

Viele Grüße
Anja

_____ / 17 Punkte

6 Ergänzen Sie die Präpositionen und die Endungen.

a Hast du Lust auf Kino? Ich interessiere mich _für_ d_en_ neuen Film von Scorcese.

b Die Feier in der Firma war so langweilig. Alle haben den ganzen Abend nur _____ ihr_____ Arbeit gesprochen. Ich habe mich _____ mein_____ Kolleginnen geärgert.

c ● Bist du _____ dein_____ Auto zufrieden?
◆ Na ja, es ist schon ziemlich alt. Außerdem träume ich _____ ein_____ Motorrad.

_____ / 8 Punkte

7 Ergänzen Sie.

a _Worüber_ ärgerst du dich? — Über das Wetter. Es regnet seit Tagen!
b __________ freust du dich? — Auf meinen Deutschkurs. Die Lehrerin ist super.
c ______________ ärgerst du dich? — Über meinen Nachbarn. Er hört die ganze Nacht laut Musik.
d ______________ interessierst du dich? — Für Leo. __________ träume ich schon lange!
e __________ träumst du? — Von einem Urlaub ohne Ende.

_____ / 5 Punkte

Kommunikation

8 Ordnen Sie zu.

Aufenthalt | Möchten Sie es buchen | Haben Sie ein Zimmer frei | ~~Wie kann ich Ihnen helfen~~ | Schlüssel | Darf ich fragen

- ● Guten Tag. _Wie kann ich Ihnen helfen_?
- ◆ ________________________?
- ● Ja. ________________________, wie lange Sie bleiben möchten?
- ◆ Zwei Nächte. Bis Sonntag.
- ● Hm, wir haben noch ein Einzelzimmer mit Frühstück. ________________________?
- ◆ Ja, bitte.
- ● Hier ist Ihr ________________________. Wir wünschen Ihnen einen angenehmen ________________________!
- ◆ Vielen Dank.

____ / 5 Punkte

9 Was passt? Ordnen Sie zu.

1 Meine Freundin will jedes Jahr nach Dänemark in ihr Lieblingshotel.
2 Wir waren im Gebirge und sind jeden Tag acht Stunden gelaufen.
3 Wir sind gut auf Mallorca angekommen, aber mein Koffer ist nach Madrid geflogen …
4 Für eine Pizza und zwei Flaschen Cola haben wir 35 Euro bezahlt!
5 Mitten in der Wüste hat Herbert seinen Arbeitskollegen getroffen.
6 Sieh mal, ein Foto von unserem Zimmer. Das Bad war total schmutzig.

A Puh, das war bestimmt ganz schön anstrengend!
B So ein Zufall! Das gibt es doch gar nicht.
C Ist das nicht total langweilig?
D Nicht zu glauben! So teuer ist diese Stadt?!
E Oh ja, das sieht nicht gut aus.
F So ein Pech! Das ist wirklich ärgerlich!

1	2	3	4	5	6
C					

____ / 5 Punkte

10 Ordnen Sie zu.

nicht niedriger | regnet | typisch | normalerweise | wieder wärmer | ~~Sonne und Wärme~~ | sonst viel wärmer

- ● Ich habe mich so auf _Sonne und Wärme_ gefreut, und jetzt? Es ________________ und es ist windig. Ist das Wetter ________________ für diese Jahreszeit?
- ◆ Nein, tut mir leid. Das Wetter ist hier im September ________________ noch sehr gut. Es ist ________________ als zurzeit. Die Temperaturen sind normalerweise ________________ als 20 Grad. Erst am Wochenende soll es ________________ werden.

____ / 6 Punkte

Lesen

11 Richtig oder falsch? Kreuzen Sie an.

„Berlin auf dem Rad!"

Auf die Räder, und los geht es! Susanne Rabinowitz' gute Laune steckt alle an. 13 Touristen steigen aufs Fahrrad und fahren hinter der 37-jährigen Berlinerin her. Nach 10 bis 15 Minuten bleibt die Gruppe stehen und Susanne Rabinowitz erzählt auf Deutsch oder Englisch interessante, lustige oder auch traurige Geschichten zu verschiedenen Orten in der Stadt. „Schon als Studentin habe ich immer wieder als Stadtführerin gearbeitet", erzählt sie. „Als ich mit dem Studium fertig war, habe ich weitergemacht. Irgendwann hatte ich dann die Idee mit den Fahrrädern. Berlin ist ja sehr groß, und ich wollte meinen Kunden immer gern mehr zeigen, als man zu Fuß machen kann. Ich habe damals viel Geld für Räder ausgegeben. Sie sollen ja bequem sein und gut fahren! Aber der Erfolg hat mir recht gegeben. *Berlin auf dem Rad* steht als Tipp in einigen Reiseführern. Inzwischen bieten auch viele andere Leute Stadtführungen mit dem Rad an. Aber ich habe immer noch viele Gäste. Die vierstündige Tour entlang der Mauer ist besonders beliebt. Nach Berlin kommen Leute aus der ganzen Welt. Und viele interessieren sich besonders für die Geschichte der geteilten Stadt."

		richtig	falsch
a	Sabine Rabinowitz hat schon lange Erfahrung als Stadtführerin.	⊗	○
b	Sie macht Stadtführungen mit dem Fahrrad.	○	○
c	Nicht mehr als 10 Touristen machen bei einer Führung mit.	○	○
d	Die Führungen sind immer auf Englisch.	○	○
e	Die Leute müssen ihr eigenes Fahrrad mitbringen.	○	○
f	Einige Reiseführer empfehlen Berlin auf dem Rad.	○	○
g	Sabine bietet verschiedene Touren an.	○	○
h	Viele Kunden wollen die Tour entlang der Berliner Mauer mitmachen.	○	○

_____ / 7 Punkte

Schreiben

12 Sie organisieren für Ihre Firma eine Konferenz in einem Hotel. Schreiben Sie eine E-Mail. Verwenden Sie dabei die Informationen von Ihrem Notizzettel.

- ein Doppelzimmer und fünf Einzelzimmer
- ab dem 17.9., zwei Nächte
- Halbpension
- Konferenzraum mit Internetzugang!

Sehr geehrte Damen und Herren,
unsere Konferenz „Zusammenarbeit 2020" soll in Ihrem Hotel stattfinden.
Haben Sie ______________________________
____
____
____

Mit freundlichen Grüßen
____

_____ / 8 Punkte

Gesamt: _____ / 84 Punkte

Wörter

Name: ______________________

1 Ordnen Sie zu.

Publikum | ~~verpasst~~ | Vorstellung | weggehen | kostenlos | Club | verlängert | Beginn | beliebt

a ● Schade, wir haben die Edvard-Munch-Ausstellung _verpasst_.
◆ Nein, sie ist ______________ und geht jetzt bis zum 3. Juni. Wir können noch hingehen!
b ● Was ist denn ein Poetry-Slam?
◆ Na, ein Dichter-Wettbewerb. Das ______________ stimmt über den besten Text ab.
c ● Museen sind immer so teuer.
◆ Stimmt, aber am Sonntag ist der Eintritt oft ______________.
d ● Ich will am Wochenende mal wieder ______________, bis 4 Uhr tanzen und richtig Spaß haben.
◆ Lass uns doch in den neuen ______________ in der Sonnenstraße gehen. Der ist gerade sehr ______________.
e ● Hast du die Theaterkarten? Wann beginnt denn die ______________?
◆ Hier steht es: „______________: 19.30 Uhr“.

____ / 8 Punkte

2 Wer liest was? Ergänzen Sie.

a Meine kleine Schwester ist erst ein Jahr alt. Sie „liest“ _Bilderbücher_ (Blidrberchüe).
b Mein Papa liebt russische Science-Fiction-______________ (mCcois). Das finde ich cool.
c Papa hat Mama ein Buch mit Liebes______________ (gtedicehn) geschenkt. Mama liest aber eigentlich nur ______________ (oaeRmn), am liebsten spannende ______________ (iKrims).
d Opa interessiert sich sehr für die Natur. Er hat viele ______________ (aSehrhbücc) und ______________ (gRterbae) zum Thema „Garten“.
e Oma liest morgens beim Frühstück die ______________ (enigtZu). Abends erzählt sie uns manchmal ______________ (äMrnche).
f Und ich? Ich bin 8 Jahre alt und lese gern ______________ (idünecKhrber)!

____ / 9 Punkte

3 Ordnen Sie zu.

Versicherung | Polizei | EC-Karte | abgesperrt | brennt | Ausweis | ~~Gesundheitskarte~~ | anfassen | Bargeld | gestohlen | Führerschein

a Ich muss mit Mäxchen zum Kinderarzt. Wo ist denn nur seine _Gesundheitskarte_?
b Sieh mal, da ______________ es! Wir müssen die Feuerwehr rufen!
c Diese ______________ funktioniert leider nicht. Haben Sie vielleicht auch ______________ dabei?
d Wir verkaufen keinen Alkohol an Jugendliche. Darf ich bitte mal Ihren ______________ sehen? – Den habe ich nicht dabei, aber hier ist mein ______________. Ich bin 22!
e Was macht man nach einem Einbruch in die Wohnung? Am besten nichts ______________ und die ______________ rufen.
f Am Wochenende wurde mein Rad ______________. Das Schloss war nicht ______________ und jetzt zahlt die ______________ nicht.

____ / 10 Punkte

Strukturen

4 Ergänzen Sie die Präpositionen *aus, bei/beim, im/in/ins, vom/von, zum/zur*.

a ● Hallo, kommst du gerade _vom_ Sport?
◆ Ja, ich war _______ Schwimmen.
● Lustig, ich will auch gerade _______ Schwimmbad.

b ● Hallo, Heike! Du siehst heute aber nicht gut aus …
◆ Nein, ich komme gerade _______ Arzt. Ich soll wieder _______ Bett gehen.

c ● Sollen wir uns um 18 Uhr _______ Sara treffen?
◆ Ich will um 17.30 Uhr noch _______ Friseur, 18.30 Uhr wäre mir lieber.

d ● Ist Theo schon _______ Arbeit gegangen?
◆ Nein, er ist _______ Joggen.

e ● _______ Kino gibt es tolle Filme, was hältst du von …
◆ Ach, lass uns doch lieber mal wieder _______ Theater gehen.

f ● Was möchtest du heute Mittag essen?
◆ Gar nichts. Ich komme erst um 13 Uhr _______ der Schule und will dann gleich weiter _______ Julian.

_____ / 12 Punkte

5 Was ist richtig? Kreuzen Sie an und ergänzen Sie die richtige Form.

a Ich ○ wollt__ ⊗ konnt_e_ schon mit drei Jahren Fahrrad fahren. Aber ich ○ musst__ ○ durft__ immer einen Helm tragen.

b Mein großer Bruder ○ mocht__ ○ durft__ mit seinen Freunden ins Kino, und ich ○ konnt__ ○ musst__ zu Hause bleiben. Ich ○ sollt__ ○ wollt__ so gern älter sein!

c In meiner Familie gibt es viele Ärzte. Mein Bruder und ich ○ durft__ ○ sollt__ deshalb auch Medizin studieren, aber wir ○ wollt__ ○ mocht__ das überhaupt nicht!

_____ / 6 Punkte

6 Hochzeit. Ergänzen Sie *lassen* in der richtigen Form und ordnen Sie die Verben zu.

bringen | waschen | schneiden | ~~nähen~~ | backen

a Ich _lasse_ mein Hochzeitskleid bei *form&schön* _nähen_.
b Unser Nachbar leiht uns sein Auto. Er ____________ es noch ____________.
c Die Blumen ____________ wir von *Blütenglück* ____________.
d Am Morgen vor der Hochzeit ____________ Fritz sich noch die Haare ____________.
e Den Kuchen ____________ wir von Berlins bester Bäckerei ____________.

_____ / 4 Punkte

7 Ergänzen Sie *welche, welches, dieses, diesen*.

● _Dieses_ Kleid ist echt toll.
◆ _________ denn? Das da?
● Nein, das direkt neben _________ roten Jacken.
◆ _________ Jacken denn? Ich sehe keine.
● Na, da vorne!

_____ / 3 Punkte

Kommunikation

8 Ergänzen Sie das Gespräch.

~~unternehmen~~ | doch mal etwas anderes | uns dahin gehen | warum nicht | wirklich mal was Neues | nicht total langweilig | nicht so negativ | habe da einen Vorschlag | ist wahr

- ● Wollen wir am Sonntag etwas zusammen unternehmen?
- ◆ Am Sonntag? Ja, ______________________________?
- ● Ich ______________________________: Um 14 Uhr beginnt der Stadtspaziergang „Münchens schönste Gärten" …
- ◆ Ein Stadtspaziergang? Ist das ______________________________? Und am Wochenende regnet es sicher wieder.
- ● Sei doch ______________________________. Ein Stadtspaziergang ist ______________________________. Außerdem wohnen wir schon ein Jahr in München und haben die Stadt noch gar nicht richtig kennengelernt.
- ◆ Das ______________________________. Und eine Stadtführung in der eigenen Stadt ist ______________________________.
  Lass ______________________________.

_____ / 8 Punkte

9 Was sagen die Personen? Ergänzen Sie.

a Freust du dich auf den Schulanfang. – 😐 Nicht besonders.
b Willst du dir auch den neuen Film von Woody Allen ansehen? – ☹ Nein, der i___ ___ ___ess ___ ___ ___ ___ mich ü___ ___ ___ ___ ___ ___ ___ ___ ___ich___.
c Liest du auch so gern Krimis? – ☺ J___, und ___i___!
d Interessierst du dich für Mode? – 😐 ___ ___ ___ht ___ ___.
e Kommst du heute mit zu der Lesung? – ☹ Nein, Lesungen f___ ___ ___ ___ ich ___ ___rl ___ ___ ___ gesagt l___ ___ ___ w ___ ___l ___ ___.
f Hast du denn überhaupt kein Interesse an Musik? – ☺ D ___ ___ ___, Musik interessiert mich ___ ___h ___.

_____ / 5 Punkte

10 Ordnen Sie zu.

Wo waren Sie | An mehr kann ich mich nicht erinnern | ~~Erzählen Sie doch mal~~ | Wie hat es ausgesehen | Was ist dann passiert | näher beschreiben

- ● Wie ist der Diebstahl abgelaufen? Erzählen Sie doch mal. ______________________________?
- ◆ Ich wollte ins Museum und war vor dem Eingang. Plötzlich war da diese Frau mit dem Bild unter dem Arm.
- ● Können Sie die Frau ______________________________?
- ◆ Sie hatte schwarze Sachen an und eine Mütze auf dem Kopf.
- ● ______________________________?
- ◆ Sie ist in das Auto am Straßenrand gestiegen und losgefahren.
- ● Können Sie sich an das Auto erinnern? ______________________________?
- ◆ Es war groß und schwarz. ______________________________.
- ● Hm, danke.

_____ / 5 Punkte

Lesen

11 Richtig oder falsch? Lesen Sie und kreuzen Sie an.

Weiße Weihnachten? Nein, an diesem 24. Dezember liegt nur oben auf den hohen Bergen Schnee. Trotzdem freuen sich Konrad und sein Schwesterchen Sanna. Weil es so warm ist, dürfen sie zu den Großeltern ins Nachbartal hinüberwandern. Am Abend wollen sie wieder zu Hause bei ihren Eltern sein, doch auf dem Rückweg schneit es plötzlich sehr stark. Schnell wird alles weiß. Die Kinder können die Landschaft nicht mehr sehen und den Weg nicht mehr finden. Weiter und weiter steigen sie ins Gebirge hinauf, bis es rund um sie nur noch Eis und Schnee gibt. Stille Nacht, heilige Nacht … eiskalte Nacht. *Wird es ihre letzte sein?*

		richtig	falsch
a	Die Geschichte spielt im Winter.	⊗	○
b	Die Geschichte spielt im Gebirge.	○	○
c	Konrad und Sanna sind Geschwister.	○	○
d	Sie wollen bei den Großeltern übernachten.	○	○
e	Es schneit sehr stark.	○	○
f	Die Kinder kommen in eine gefährliche Situation.	○	○

_____ / 5 Punkte

Schreiben

12 Lesen Sie die Stichpunkte und schreiben Sie eine E-Mail. Verwenden Sie dabei die folgenden Ausdrücke.

Plötzlich …
Und weißt Du, was dann passiert ist?
Zum Glück …
Hoffentlich …

~~mit Hund im Park~~ | alte Dame | junger Mann | Handtasche weggenommen und weggelaufen | ich ihm nachgelaufen | Tasche weggeworfen | Tasche zurückgebracht | Geld und Ausweis noch da | zur Polizei gegangen | Täter beschrieben | den Mann finden

Liebe Sabine,

Du glaubst nicht, was ich gestern erlebt habe:
Ich war mit dem Hund im Park.
____
____
____
____
____

Liebe Grüße
____

_____ / 10 Punkte

Gesamt: _____ / 85 Punkte

Wörter

Name: ______________________

1 Ergänzen Sie die Gespräche.

Mitglied | Verbindungen | klicke | ~~Zugangsdaten~~ | zurückfahren | Ziel | Umwelt | Fahrkarte | Passwort

a ● So ein Mist! Ich kann mich hier nicht mehr einloggen. Mit den _Zugangsdaten_ stimmt etwas nicht.
◆ Hast du vielleicht das ______________ vergessen?
● Nein! Ich nehme doch immer dasselbe. Ich ______________ Login an, kann mich aber nicht anmelden.
◆ Hm ... du bist doch gar nicht bei Stattauto ______________, du bist doch bei Autofix!

b ● Ich möchte am Freitag nach Leipzig und am Sonntag über Nürnberg ______________.
Soll ich mit dem Zug oder mit dem Auto fahren?
◆ Kennst du www.verkehrsmittelvergleich.de? Du gibst dort dein ______________ ein und bekommst die wichtigen Informationen zu den ______________: Was kostet die ______________ für Bus und Bahn. Was kostet die Autofahrt? Was ist besser für die ______________? Praktisch, nicht?

____ / 8 Punkte

2 Was passt nicht? Streichen Sie.

a Bewerbung – Lebenslauf – ~~Semester~~ – Foto – Zeugnis
b Schule – Schüler – Zeugnis – Student – Noten
c Studium – Gymnasium – Lehre – Abitur – Universität
d Prüfungen – mündlich/schriftlich – Note – Zeugnis – Praktikant

____ / 3 Punkte

3 Was passt zusammen? Ordnen Sie zu.

a Arzt	Visum	kontrollieren
b Konsulat	Impfungen	beantragen
c Zoll	Anschluss	überprüfen
d Reisender	Grenze	verpassen

____ / 3 Punkte

Strukturen

4 Schreiben Sie Nebensätze mit *bis* oder *seit(dem)*.

a Mir macht Radfahren viel mehr Spaß, _seit ich ein neues Fahrrad habe_.
(ich – haben – ein neues Fahrrad)
b Ich lerne Spanisch, ______________________ (ich – wissen), dass wir nach Argentinien ziehen. Ich muss mich noch verbessern, ______________________ (wir – umziehen)!
c ______________________ (ich – haben – die Jahreskarte), fahre ich sehr gern mit dem Bus oder der U-Bahn. Ich muss sie bis Dezember viel nutzen.

d ● Nur noch 40 Minuten, ______________________ (der Film – beginnen).
Wie kommen wir nur so schnell ins Kino?
◆ Wie immer: mit dem Bus.
● ______________________ (wir – laufen – zur Bushaltestelle), sind wir mit dem Auto schon dort.
◆ Okay. Lass uns das Auto nehmen.

e ______________________ (ich – wohnen – direkt neben der Uni), stehe ich jeden Tag erst um 10 Uhr auf. _____ / 6 Punkte

5 Ergänzen Sie die Relativpronomen.

a Das ist der Job, _den_ ich schon immer machen wollte.
b Hast du einen Mann, _____ zu dir passt?
c Siehst du die Frau dort vorn? Das ist die Lehrerin, _____ ich so gern mag.
d Endlich habe ich das Einkommen, _____ ich verdient habe.
e Wo sind die Briefe, _____ ich gestern geschrieben habe?
f Hier ist das schöne Foto, _____ Doreen von mir gemacht hat.
g Kennst du schon den neuen Praktikanten, _____ seit gestern für uns arbeitet?
h Das ist die Tasche, _____ Fritz so schön findet.
i Das ist eine Frage, _____ noch niemand beantwortet hat.
j Das sind nette Kollegen, _____ dir immer gern helfen. _____ / 9 Punkte

6 Märchen. Ergänzen Sie die Verben im Präteritum in der richtigen Form.

Als ich ein Kind _war_ (sein), ______________ (lebe) ich mit meinen Eltern an einem See. Dort ______________ (geben) es viele interessante Tiere und Dinge. Eines Tages ______________ (haben) ich ein fantastisches Erlebnis: Ich ______________ (sehen) am Ufer eine kleine Tasche. Zu Hause ______________ (machen) ich sie auf und ______________ (finden) einen Frosch. Der Frosch ______________ (können) sprechen und er ______________ (sagen) zu mir: Was ist dein größter Wunsch? Was ______________ (sollen) ich ihm sagen? …

_____ / 9 Punkte

Kommunikation

7 Ordnen Sie zu.

Zuerst musst du | Das ist ja ganz | ~~Kannst du mir erklären~~ | Du gibst deinen | Du bekommst dann | Zuletzt rufst du | Kein Problem

● In der Stadt stehen ja überall diese Fahrräder. Ich möchte auch mal so ein Rad mieten. _Kannst du mir erklären_, wie das geht?
◆ ______________! ______________ dich im Internet als Kunde anmelden. ______________ Namen und deine Adresse ein und sagst, wie du zahlen möchtest. Wenn du in der Stadt dann ein Fahrrad siehst, rufst du die Telefonnummer auf dem Fahrradschloss an. ______________

die Zugangsnummer. Die gibst du am Fahrrad auf dem Display ein. Dann kannst du losfahren. ______________________ wieder an und meldest dich ab.
● Das ist alles? ______________________ einfach!

_____ / 6 Punkte

8 Ergänzen Sie die Gespräche.

a ● Wie gefällt dir denn dein Medizin-Studium?
◆ Na ja, e s g e h t. Ich bin gern an der Uni. Unser Professor erzählt immer spannende Geschichten aus seinem Arbeitsleben. Das __ i __ __ __ ich pr __ __ __. Aber ich muss immer viel lernen und sitze viel allein am Schreibtisch. Das ist t__ __ __l l__ __ gwei__ __ __.

b ● Arbeitest du __er__ a__s Koch?
◆ Nein, ü__ __ __h__ __ __t __ __ch__. Ich stehe jeden Abend in der Küche und kann nie mit meinen Freunden weggehen. Das __ __ __rt mich. Am schlimmsten ist aber mein Chef. I__ __ __ __ m__ss ich die Küche putzen. Ich habe __ein__ L__ __t mehr. D__sh__ __ __ s__ __ __e ich jetzt einen neuen Job.

_____ / 8 Punkte

9 Ordnen Sie zu.

hatte eine tolle Zeit | sofort wieder machen | es oft traurig | super gefallen | würde ich jedem empfehlen | viele nette Leute

Den Sommerjob auf dem Campingplatz würde ich ______________________. Ich ______________________ mit vielen schönen Erlebnissen. Mir hat ______________________, dass ich auf dem Platz wohnen durfte. Ich war ganz weit weg von meinem Alltag. Das ______________________ . Die Gäste konnten jeden Tag 24 Stunden zu mir kommen. Einmal habe ich einem älteren Paar um 24 Uhr die Sektflasche aufgemacht. Sie wollten 50. Hochzeitstag feiern und konnten die Flasche nicht aufmachen. Ich habe ______________________ kennengelernt und fand ______________________, wenn ich mich verabschieden musste.

_____ / 6 Punkte

Lesen

10 Lesen Sie die Beiträge im Forum. Zu wem passen die Sätze?

a PitzPalü hat nach der Schule sofort mit dem Studium begonnen.
b ____________ spricht gut Französisch.
c ____________ weiß nicht, was sie nach der Schule machen soll.
d ____________ fand das Jahr nach der Schule nicht so schön.
e ____________ will nach der Schule arbeiten und dann studieren.
f ____________ ist mit seinem Studium zufrieden.
g ____________ war ein Jahr im Ausland auf Reisen.
h ____________ hatte eine tolle Zeit im Ausland.

Thema: Nach der Schule / SaSuSa_96

Im Sommer mache ich Abitur. Ich weiß nicht, welcher Beruf zu mir passt und ob ich zuerst ins Ausland gehen soll. Habt Ihr denn nach der Schule sofort eine Ausbildung oder ein Studium begonnen?

AW: Nach der Schule / PitzPalü

Ich habe letztes Jahr Abi gemacht und bin dann direkt an die Uni. Ich studiere Chemie und finde das super. Chemie habe ich schon in der Schule geliebt.

AW: Nach der Schule / Lilola_85

Ich bin nach der Schule erst einmal für ein Jahr nach Australien gegangen. Geld verdient habe ich als Kellnerin und als Erntehelferin auf einem Bauernhof. Wenn ich genug Geld hatte, bin ich weitergereist. Ich habe interessante Menschen kennengelernt und viele wichtige Erfahrungen gemacht. Zurück in Deutschland habe ich dann meine Ausbildung begonnen. Ein Jahr im Ausland würde ich jedem empfehlen!

AW: Nach der Schule / Nadi

Hallo SaSuSa_96, geh besser nicht als Au-Pair ins Ausland. Ich war ein Jahr in Paris. Die Familie und die Kinder waren sehr nett. Und ich habe meine Sprachkenntnisse verbessert. Aber ich habe mich einsam gefühlt. Studenten im Ausland lernen schnell Leute kennen – ich war in meiner Freizeit und am Wochenende immer allein unterwegs. Das war keine schöne Zeit.

AW: Nach der Schule / petrowitsch

Hey SaSuSa_96, ich mache auch im Sommer Abi. Danach arbeite ich sechs Monate in einer großen Firma am Fließband. Ich will Geld fürs Studium verdienen. Später ist das sicher nicht mehr so einfach.

_____ / 7 Punkte

Schreiben

11 Schreiben Sie zu folgenden Punkten einen Beitrag ins Forum.

Was haben Sie nach der Schule gemacht?
Warum?
Hat es Ihnen gefallen? Warum (nicht)?
Würden Sie es empfehlen? Warum (nicht)?

____

____

____

____

____

____

____

_____ / 8 Punkte

Gesamt: _____ / 73 Punkte

Lektion 13

Meine erste „Deutschlehrerin“

Aufgabe 1

Paul: Bratwurst mit Sauerkraut! ... Lecker!
Frauke: Sag mal, Paul, woher kannst du eigentlich so gut Deutsch? Sind deine Eltern aus einem deutschsprachigen Land?
Paul: Nein, Frauke, bei uns zu Hause spricht keiner Deutsch.
Frauke: Warum kannst du es dann so super? Hast du mit dem Deutschlernen schon im Kindergarten angefangen?
Paul: Nein. Meine ersten deutschen Wörter hab ich gesprochen, als ich 19 war.
Frauke: Echt? Erzähl!
Paul: Warte! Da, guck mal!
Frauke: H-hm?
Paul: Das ist Marie. Sie hat mir den ersten deutschen Satz beigebracht.
Frauke: So? Welchen denn?
Mann: Hallo? Was möchten Sie?
Paul: Ich erzähl's dir gleich ... Ähhm, ich hätte gern einmal die Bratwurst, bitte.
Mann: Bratwurst mit Kraut, gern!

Aufgabe 3 a und b

Paul: Wie heißt du?
Frauke: Na, Frauke.
Paul: Nein. „Wie heißt du?“, das war mein erster deutscher Satz.
Frauke: Und den hattest du von Marie?
Paul: Genau.
Frauke: Wo hast du sie denn kennengelernt?
Paul: Bei uns zu Hause ... am Strand. Marie hat eine Weltreise gemacht, als sie mit der Schule fertig war.
Frauke: Und wie habt ihr euch verständigt?
Paul: Zuerst mal auf Englisch. Sie hat mir viel über Deutschland erzählt ...
Frauke: ... und hat dir die ersten deutschen Sätze beigebracht.
Paul: Ja, das hat Spaß gemacht! Weißt du, Frauke, für Fremdsprachen hab' ich mich schon interessiert, als ich noch ganz klein war.
Frauke: Und wie ist deine ‚Deutschgeschichte‘ dann weitergegangen?
Paul: Marie ist schon nach ein paar Tagen weitergereist. Aber sie hat mich dann nach Berlin eingeladen, als sie wieder zu Hause war. Darüber hab' ich mich wahnsinnig gefreut.
Frauke: Und du hast sie also besucht?
Paul: Ja. Es sollte nur für 'ne Woche sein. Aber dann sind's eineinhalb Monate geworden.
Frauke: Du hast dich verliebt?
Paul: Ja.
Frauke: Aha!
Paul: Nein, nicht das, was du jetzt meinst! Ich hab' mich in Deutschland verliebt. Mir ist damals klar geworden, dass ich viel mehr über Deutschland lernen möchte.
Frauke: Zum Beispiel die Sprache ...
Paul: Genau. Mit dem Deutschunterricht hab' ich sofort angefangen, als ich wieder zu Hause war. Ich hab' studiert und außerdem Deutschkurse an der Uni und am Goethe-Institut belegt.
Frauke: Und wie bist du hierher an die Frankfurter Uni gekommen?
Paul: Ich hab' mich um ein Stipendium für Deutschland beworben und hab's bekommen, als ich im vierten Semester war.
Frauke: Jetzt bist du im achten Semester.
Paul: H-hm.
Frauke: Du lernst also noch nicht mal zwei Jahre lang Deutsch. Trotzdem sprichst du fast ohne Fehler. Wie machst du das, Paul? ... Bist du ein Sprachgenie?
Paul: Quatsch! Da gibt's nur einen Weg: Üben, üben, üben! Wenn du eine Fremdsprache lernen willst, musst du sie so oft wie möglich sprechen, im Kurs und am besten auch mit

Muttersprachlern. Und genau das hab ich gemacht: mit Freunden, an der Uni, beim Einkaufen, überall und jeden Tag.

Frauke: Dein Erfolgsrezept ist also: Sprachkurse plus Sprachpraxis?

Paul: Ja, genau. Das ist genau wie mit dem Führerschein: In der Fahrschule lernst du Technik und Regeln, zum perfekten Fahrer wirst du aber erst draußen im Straßenverkehr. Eeeänn, eeeänn! Wrrrmmm, wrrmm!

Frauke: Spaßvogel!

Paul: Hey, das Wort kenne ich ja noch gar nicht: Spaßvogel, hm? Klingt lustig!

Aufgabe 7a

Hallo, ich bin Maria und komme aus Deutschland. Ich wohne in Freiburg und bin Single. Ich habe keine Kinder, aber einen Hund.
(weitere Personen stellen sich vor: auf Französisch, auf Russisch, auf Vietnamesisch und auf Türkisch.)

Lektion 14

Es werden fleißig Päckchen gepackt.

Aufgabe 2

Erna: So, der Schuhkarton ist fertig. Jetzt können wir die Sachen einpacken.

Georg: Gut. Die Mütze, den Schal und die Handschuhe legen wir ganz unten rein.

Erna: Darüber freut sich das Kind bestimmt. In Osteuropa ist es jetzt ganz schön kalt.

Georg: Schau mal. Ich habe auch ein Stofftier gekauft. Ist der Hund nicht süß?

Erna: Sehr süß. Ein Musikinstrument war auch eine gute Idee.

Georg: Was noch?

Erna: Das kleine Auto. Diesmal geht das Päckchen an einen Jungen.

Georg: Und zum Schluss noch was Süßes. Wo ist denn die Schokolade?

Erna: Im Schrank. Rechte Tür.

Georg: Welche soll ich nehmen?

Erna: Nicht die mit den Nüssen. Nüsse sind nicht erlaubt.

Georg: Hier, eine Tafel Vollmilch und ein paar Bonbons.

Erna: Wunderbar. Jetzt noch ein Foto von uns. Damit das Kind auch weiß, von wem das Geschenk ist. Schreibst du die Karte?

Georg: Gern! Frohe Weihnachten ... wünschen Georg ... und Erna ...

Aufgabe 4

A *(Geschenke werden in das Päckchen gelegt.)*

B *(Etikett wird ausgeschnitten und aufgeklebt.)*

C *(Gummibänder werden um das Paket gespannt.)*

D *(Schuhkarton wird mit Geschenkpapier beklebt, Rascheln von Papier, Papierzuschnitt)*

Lektion 15

Gleich geht's los!

Aufgabe 1

Er: Aah, gleich geht's los!

Sie: Ach, Mist!

Er: Was denn?

Sie: Jetzt hätt' ich sooo gerne was zu knabbern.

Er: Na und? Wo ist das Problem? Ich hab' Chips gekauft.

Sie: Echt!? Super! Wo hast du sie?

Er: Warte! Ich bring' sie dir.

Sie: Du bist ein Schatz!

Sie: Hey! Ja, sag mal! Geht unsere Uhr falsch? Der *Tatort* hat ja schon angefangen!

Er: Was?! Na so was!?
So! Bin schon da!
Hier, bitte!

Sie: Danke! Hmm, lecker! Hach, ist das gemütlich!

Aufgabe 5 a

Frau: Ich sehe am liebsten den *Tatort*. Manchmal gucke ich ihn allein zu Hause, aber meistens zusammen mit einer Freundin. Dazu gibt's immer Erdnüsse und ein, zwei Gläschen Sekt oder Wein.

Mann: Ich sehe oft den *Tatort*, aber ich habe keine feste Gewohnheit. Ich gucke den *Tatort* auch nicht immer am Sonntagabend. Wenn ich am Sonntagabend keine Zeit habe, gucke ich ihn später in der Mediathek.

Studentin:
Meine Lieblingssendung ist der *Tatort*. Ich treffe mich jeden Sonntagabend mit zwei Freundinnen aus der Uni. Dann kochen wir zusammen und anschließend sehen wir uns den neuen *Tatort* an. Das macht echt Spaß.

Modul-Plus 5

Ausklang: So? ... Oder so?

(vgl. Kursbuch)

Lektion 16

Darf ich fragen, ob ...?

Aufgabe 2

Schüler an der Rezeption:
So, Frau Thalau, Ihr Zimmer ist im ersten Stock. Dann gebe ich Ihnen mal den Zimmerschlüssel.

Schüler/Kunde:
Hoffentlich ist *Ihr* Zimmer wenigstens sauber!

Schülerin/Kundin:
Wie bitte?

Schüler/Kunde:
Meins ist total schmutzig! Überall Haare im Bad.

Schüler an der Rezeption:
Was ...?

Schüler/Post:
Guten Tag. Ein Paket für Hotel Domino. Bitte hier unterschreiben.

Schüler an der Rezeption:
Ja ...

Schüler/Kunde:
Hallo!??

Schüler an der Rezeption:
Ja, es tut mir leid.

Schüler/Kunde:
Davon wird das Zimmer auch nicht sauber.

Schüler/Post:
Danke.

Schüler an der Rezeption:
Ich schicke gleich jemanden. Einen kleinen Moment, bitte.

Schüler/Kunde:
Nein, keinen kleinen Moment.

Schüler an der Rezeption:
Hotel Domino.

Telefonstimme:
Guten Tag, ich würde gern ein Zimmer reservieren.

Schüler/Kunde:
Hallo!!! Ich rede mit Ihnen!

Schülerin/Kundin:
Kann ich endlich meinen Schlüssel haben?
Schüler an der Rezeption: (kichert)
Schüler/Kunde:
Was gibt's denn da zu lachen?
Ausbilderin:
Gut. Stopp. Danke! Das war's erst mal.

Aufgabe 3 a und b

Ausbilderin:
So, was meint ihr? Ich würde gerne wissen, ob Lukas alles richtig gemacht hat. Ja, Diana?
Schülerin: Nein. Er war zu nervös.
Ausbilderin:
Pit!
Schüler: Er hätte ruhiger bleiben müssen.
Ausbilderin:
Okay, Lukas, dann probier es gleich noch mal.
Schülerin/Kundin:
Hallo, guten Tag.
Schüler an der Rezeption:
Guten Tag, kann ich Ihnen helfen?
Schülerin/Kundin:
Ja, mein Name ist Thalau. Ich würde gern wissen, ob Sie noch ein Zimmer frei haben?
Schüler an der Rezeption:
Darf ich fragen, wie lange Sie bei uns bleiben möchten?
Schülerin/Kundin:
Zwei Nächte.
Schüler an der Rezeption:
Brauchen Sie ein Einzelzimmer oder ein Doppelzimmer?
Schülerin/Kundin:
Ein Einzelzimmer, bitte.
Schüler an der Rezeption:
Hm, ja, hier! Eines haben wir noch. Möchten Sie das buchen?
Schülerin/Kundin:
Gern!
Schüler an der Rezeption:
So, Frau Thalau. Das Zimmer ist mit Halbpension. Das Restaurant liegt im Erdgeschoss. Gleich gegenüber von der Rezeption. Ihr Zimmer ist im ersten Stock.
Schüler/Kunde:
Hoffentlich ist Ihr Zimmer wenigstens sauber!
Schüler an der Rezeption:
Hier ist Ihr Schlüssel, Frau Thalau. Ich wünsche einen angenehmen Aufenthalt.
Schüler an der Rezeption:
So, Herr Klein, was kann ich für Sie tun?
Schüler/Kunde:
Mein Zimmer sieht aus wie ein Schweinestall! Das Bett ist nicht gemacht und im Bad sind überall Haare.
Schüler an der Rezeption:
Oh, Herr Klein, ich gebe Ihnen gleich ein anderes Zimmer. Es tut mir leid, wenn Sie Ärger hatten.
Schüler an der Rezeption:
So, Zimmer Nummer sieben. Etwas größer und mit Blick zum Strand.
Schüler/Kunde:
Danke.
Schüler/Post:
Ein Paket für Hotel Domino.
Schüler an der Rezeption:
Wo soll ich unterschreiben? ... Hotel Domino. Was kann ich für Sie tun?
Telefonstimme:
Guten Tag, ich würde gerne ein Zimmer reservieren.
Schüler/Post:
Hier!
Schüler/Post:
Danke!
Schüler an der Rezeption:
Tut mir leid, wir sind ausgebucht. Moment. Ein Zimmer hätten wir noch. Aber das muss erst geputzt werden.

Aufgabe 5b

Schüler/Hotelgast:
Entschuldigen Sie ...
Schüler/Rezeption:
Ja, bitte?
Schüler/Hotelgast:
Wo ist denn hier die Sauna? Ich glaube, ich bin hier falsch.
Schüler/Rezeption:
Ja, da haben Sie recht. Am besten, Sie gehen am Frühstücksraum vorbei, durch die Glastür und dann die Treppen nach unten.
Schüler/Hotelgast:
Ist die Sauna gegenüber von der Keller-Bar?
Schüler/Rezeption:
Nein. Gegenüber vom Schwimmbad. Nach der Keller-Bar noch ein Stück geradeaus und dann links.
Schüler/Hotelgast:
Hoffentlich finde ich das.
Schüler/Rezeption:
Wenn Sie wollen, bringe ich Sie hin.
Schüler/Hotelgast:
Nein, danke. Jetzt weiß ich ja den Weg. Aber vorher war ich schon im Konferenzraum. Im Bademantel!

Aufgabe 6a und b

Schüler/Hotelgast:
Entschuldigen Sie ...
Schüler/Rezeption:
Ja, bitte?
Schüler/Hotelgast:
Wo ist denn hier die Sauna? Ich glaube, ich bin hier falsch.
Schüler/Rezeption:
Ja, da haben Sie recht. Am besten, Sie gehen am Frühstücksraum vorbei, durch die Glastür und dann die Treppen nach unten.
Schüler/Hotelgast:
Ist die Sauna gegenüber von der Keller-Bar?
Schüler/Rezeption:
Nein. Gegenüber vom Schwimmbad. Nach der Keller-Bar noch ein Stück geradeaus und dann links.
Schüler/Hotelgast:
Hoffentlich finde ich das.

Lektion 17

Wir wollen nach Rumänien.

Aufgabe 1

Felix: So. Fertig.
Nachbarin:
Habt ihr alles?
Simone: Ja ... Nein, warte, Felix! Wo sind denn unsere Regensachen?
Felix: Hier. Ich hab' sie.
Simone: Ah, okay. Am besten, du packst sie ganz oben rein. Falls wir sie schnell brauchen.
Felix: Hab' ich schon.
Simone: Gut. Dann kann's ja losgehen.
Felix: Also, ciao.
Nachbarin:
Tschüs, ihr beiden! Passt gut auf euch auf.
Simone: Und pass du gut auf unser Haus auf.
Nachbarin:
Na klar. Schreibt mir mal eine Karte.
Simone: Wir schreiben doch ein Reisetagebuch im Internet. Da kannst du immer sehen, wo wir gerade sind. Ciao!
Nachbarin:
Gute Fahrt, ihr zwei.

Lektion 18

Ich freue mich auf Sonne und Wärme.

Aufgabe 1

Er: Wuahh, ist das eisig! Und dabei ist es erst Mitte Januar! Wenn wir Pech haben, bleibt es noch zwei bis drei Monate lang so kalt. MISTWETTER! Naja, ist doch wahr, oder? Ich HASSE sie einfach, diese dauernde Kälte!

Sie: Puuhh! Ist das wieder eine Hitze heute! Und das geht schon seit Wochen so! Dabei haben wir erst Mitte Juli! Sogar nachts ist es mir inzwischen viel zu warm, aber tagsüber ist es noch viel schlimmer. Aaahh!

Aufgabe 3a

A

Interviewer: Hallo!

Er: Hallo!

Interviewer: Darf ich kurz mit Ihnen über diesen wunderbaren Winter sprechen?

Er: Wie bitte? Soll das ein Witz sein?

Interviewer: Ähh, nein! Haben Sie denn keine Lust auf Eis und Schnee?

Er: Im Gegenteil: Ich ärgere mich darüber.

Interviewer: Ja aber: Wintersport, Skifahren, Schlittschuhlaufen, ...

Er: Nein danke! Ich INTERESSIERE mich nicht für Wintersport.

Interviewer: Die meisten Menschen freuen sich aber doch auf einen heißen Tee, auf Glühwein, auf gemütliche Abende zu Hause ...

Er: ICH nicht!

Interviewer: Okay, okay! Und worauf freuen SIE sich?

Er: Auf Sonne, auf Wärme, aufs Baden, aufs Windsurfen, auf kurze Hosen, auf Sandalen, auf den SOMMER! Ja, DARAUF freue ich mich.

Interviewer: Dankeschön!

Er: Bitteschön!

B

Interviewer: Hallo? Hallo?!

Sie: Wie bitte? Sprechen Sie mit mir?

Interviewer: Ja. Ich interessiere mich für Ihre Meinung zum Wetter.

Sie: So? Na, was glauben Sie? Welche Meinung hab' ich?

Interviewer: Ich denke, Sie mögen diesen tollen Sommer.

Sie: Wie kommen Sie darauf?

Interviewer: Na, wie Sie hier sitzen, mit geschlossenen Augen. Ich denke, Sie sind so richtig zufrieden mit diesem schönen Sommertag.

Sie: Quatsch! Ich habe vom Winter geträumt.

Interviewer: Wirklich? Erzählen Sie mehr darüber.

Sie: Ich hasse den Sommer und ärgere mich über die Hitze, über den Staub und über die vielen Insekten. Ich habe Lust auf Kälte und Schnee und ich freue mich schon aufs Skifahren und aufs Eislaufen. Na, zufrieden?

Interviewer: Erstaunlich! Tja, vielen Dank! Tschüs!

Sie: Tschüs!

Modul-Plus 6

Ausklang: Ans Meer?

(vgl. Kursbuch)

Lektion 19

Wohin gehen wir heute?

Aufgabe 1

Sascha: Hi, mein Name ist Sascha. Ich trage heute ein Gedicht vor. Es heißt: „Wo, woher, wohin?“

Wo warst du so lange?
Woher kommst du so spät?
Wohin gehst du schon wieder?

Wo hast du deine Jacke vergessen?
Woher hast du diese Blumen?
Wohin hast du den Brief geschickt?

Wo ist dein Lachen geblieben?
Woher kommt meine Angst?
Wohin ist unsere Liebe gegangen?

Wo, woher, wohin?
Oder sollte ich besser fragen:
Wer?

Pit: Und? Was sagt ihr?
Bruno: Wow! Das war gar nicht so schlecht.
Jana: Ja, das war mal was anderes. Gut, dass ich mitgekommen bin.

Aufgabe 3 a und b

Bruno: Hi, Pit, hi, Jana!
Pit: Hi, Bruno. Du bist ja total außer Atem. Woher kommst du denn?
Bruno: Vom Sport. Sorry, dass ich so spät bin.
Jana: Und? Wohin gehen wir heute?
Pit: Ich habe einen tollen Vorschlag: Wie wäre es mit einem Poetry Slam?
Jana: Ein Poetry *was*?
Bruno: Slam! Das ist eine Art Wettkampf. Ein Dichter-Wettkampf. Da war ich auch schon mal.
Pit: Da kann jeder was vortragen. Gedichte oder Texte. Und am Ende stimmt man ab, wer der Beste war.
Jana: Und das ist gut?
Bruno: Naja, kommt darauf an. Manchmal ist es echt super. Aber ich fand's auch schon langweilig.
Jana: Also, ich weiß nicht. Hört sich ja nicht so toll an.
Pit: Doch, glaub mir. Das ist mal was anderes. Was Neues. Interessiert dich das denn nicht?
Jana: Hm, wo findet das denn statt?
Pit: Im Café Kurt. Gleich hier um die Ecke.
Bruno: Wollen wir nicht lieber ins Kino gehen? Ich würde gern den neuen *James Bond* sehen.
Pit: Ach nee, da bin ich dagegen. Kino oder Essen – Das ist doch immer das Gleiche.
Jana: Ja, Pit hat recht. Ins Kino oder zum Essen können wir jeden Tag gehen. Ein Poetry Slam ist doch wirklich mal was anderes. Lasst uns da hingehen.

Aufgabe 7a

Sascha: Hi, mein Name ist Sascha. Ich trage heute ein Gedicht vor. Es heißt: „Wo, woher, wohin?“

Wo warst du so lange?
Woher kommst du so spät?
Wohin gehst du schon wieder?

Wo hast du deine Jacke vergessen?
Woher hast du diese Blumen?
Wohin hast du den Brief geschickt?

Wo ist dein Lachen geblieben?
Woher kommt meine Angst?
Wohin ist unsere Liebe gegangen?

Wo, woher, wohin?
Oder sollte ich besser fragen:
Wer?

Lektion 20

Ich durfte eigentlich keine Comics lesen.

Aufgabe 2

Mädchen: Mischa sitzt am Tisch und wartet. Endlich klingelt das Telefon. Ihr Herz schlägt schneller.
Durchsage in der U-Bahn:
Nächste Haltestelle Schlossstraße.
Mädchen: „Und?", ruft Mischa ins Telefon. „Was hat er gesagt?"
„Er kommt um drei Uhr mit Julius zum See", antwortet Paula.
Mädchen: Mischas Herz schlägt noch schneller. Dann fragt sie unsicher: „Meinst du, Daniel mag mich ein bisschen?"
Durchsage in der U-Bahn:
Zurückbleiben, bitte!
Mädchen: Paula lacht. „Er mag dich nicht nur ein bisschen. Er mag dich sehr! Du bist hübsch, nett und nicht dumm. Er muss dich doch einfach mögen, oder?"
Mädchen: „Vielleicht ist es ja die große ...?"
Durchsage in der U-Bahn:
Nächste Haltestelle Rathaus Steglitz. Übergang zur U-Bahnlinie 9.
Mädchen: Mist! Jetzt habe ich meine Haltestelle verpasst!

Lektion 21

Ja genau, den meine ich.

Aufgabe 1b

Herr Abelein:
Hey! ... Hallo! ... Was machen Sie denn da? ... Hey, Finger weg! ... Das ist mein Auto! ...Bleib stehen! ... Du sollst stehenbleiben! ... Hach, das gibt's doch nicht, oder? ... Das darf doch alles gar nicht wahr sein! ... So ein verdammter Mist! ... Ja? Hallo? ... Ist da die Polizei? ... Mein Name ist Gerd Abelein ... Es geht um einen Einbruch ... In mein Auto. ... Gerade jetzt, vor einer Minute ...

Aufgabe 4 a und b

Polizeibeamtin:
... habe ich festgestellt, dass meine Jacke nicht im Auto war. Ich habe meinen Geldbeutel ins Auto gelegt, habe das Auto abgesperrt und bin zurück in meine Wohnung, weil ich die Jacke noch schnell holen wollte.
Herr Abelein:
Genau.
Polizeibeamtin:
Auf dem Weg zurück zum Auto habe ich gesehen, wie ein Mann mit einem Hammer das Autofenster eingeschlagen hat. Ich bin sofort losgerannt und habe gerufen. Der Mann hat meinen Geldbeutel genommen und ist dann weggelaufen.
Herr Abelein:
Ja, genau.
Polizeibeamtin:
Der Mann war etwa einen Meter achtzig groß, schlank, hatte ein langes, schmales Gesicht und kurze, dunkle Haare. Er war zwischen 25 und 30 Jahre alt.
Herr Abelein:
Exakt.
Polizeibeamtin:
In meinem Geldbeutel waren etwa 240 Euro in bar, zwei EC-Karten und eine Kreditkarte. Stimmen diese Angaben?
Herr Abelein:
Ja. Alles ist genau richtig so.
Polizeibeamtin:
Dann unterschreiben Sie bitte hier unten.
Herr Abelein:
Ah ja. Danke sehr!

Polizeibeamtin:
Ich zeige Ihnen jetzt mal ein paar Fotos, die zu Ihrer Personenbeschreibung passen könnten. Ist der Täter vielleicht hier mit dabei?

Herr Abelein:
Hmm ... Hmm ... Nein, da ist er nicht mit dabei.

Polizeibeamtin:
Und hier?

Herr Abelein:
Oh ja! Ich glaube, der da war es!

Polizeibeamtin:
Welcher denn? Der?

Herr Abelein:
Nein dieser da, unten links.

Polizeibeamtin:
Welchen meinen Sie? Den mit der Nummer 4?

Herr Abelein:
Ja, genau, den meine ich. Der war's!

Polizeibeamtin:
Aha.

Modul-Plus 7

Ausklang: Herr Kraus musste raus.

(vgl. Kursbuch)

Lektion 22

Seit ich meinen Wagen verkauft habe, ...

Aufgabe 1

Dana Radic:
Hallo, Frau Fischer? Hier ist Dana Radic. Na, wie geht's? Schön! Auch gut, danke! Also, ich bin gerade am Hauptbahnhof angekommen und komme jetzt gleich ins Büro.
Ich habe eine Bitte, Frau Fischer: Könnten Sie die Unterlagen für mich bitte zweimal kopieren? Na, Sie haben ja noch Zeit, bis ich da bin. Eine halbe Stunde oder so, denke ich. Ja? Das ist prima, Frau Fischer! Vielen Dank! Also: bis gleich!

Aufgabe 2a

Sprecher: Carsharing hat sich im letzten Jahrzehnt in Deutschland sehr positiv entwickelt. Wer nicht mehr als 5000 km pro Jahr mit dem Auto fährt, kann viel Geld sparen. Vor allem in größeren Städten entscheiden sich deshalb immer mehr Menschen gegen ein eigenes Auto und nutzen lieber die Angebote von weit über einhundert professionellen Carsharing-Organisationen. Wir haben einige Leute befragt, warum sie sich für Carsharing und gegen ein eigenes Auto entschieden haben. Wie zum Beispiel Carola Böck aus Frankfurt:

Aufgabe 2 b und c

Sprecher: Carsharing hat sich im letzten Jahrzehnt in Deutschland sehr positiv entwickelt. Wer nicht mehr als 5000 km pro Jahr mit dem Auto fährt, kann viel Geld sparen. Vor allem in größeren Städten entscheiden sich deshalb immer mehr Menschen gegen ein eigenes Auto und nutzen lieber die Angebote von weit über einhundert professionellen Carsharing-Organisationen. Wir haben einige Leute befragt, warum sie sich für Carsharing und gegen ein eigenes Auto entschieden haben. Wie zum Beispiel Carola Böck aus Frankfurt:

Carola Böck:
Ich buche drei- bis viermal im Monat ein Auto. Zum Beispiel, wenn ich einen Großeinkauf mache, oder wenn

ich meine Freundin besuche. Sie ist vor ein paar Jahren an den Stadtrand gezogen. Seit sie dort wohnt, fahre ich immer mit dem Auto zu ihr. Mit dem Bus kommt man da nämlich nur ganz schlecht hin. Und wenn man den Bus mal verpasst, muss man sehr lange warten, bis der nächste kommt.

Sprecher: Weitere gute Gründe für Carsharing hören wir von Ingo Friedrich. Der Ingenieur ist Single und arbeitet in einem Großunternehmen:

Ingo Friedrich:
Ich hatte ein eigenes Auto, bis ich gemerkt habe: Das lohnt sich nicht, hier mitten in der Stadt. Bis man da einen Parkplatz findet, ist man mit den öffentlichen Verkehrsmitteln oder mit dem Fahrrad schon lange am Ziel. Seit ich meinen Wagen verkauft habe, muss ich mich um nichts mehr kümmern: keine Reparaturen, keine Versicherung, keine Kfz-Steuern. Und wenn ich doch mal ein Auto brauche? Seitdem es Carsharing gibt, ist das gar kein Problem mehr: Einsteigen, losfahren, abstellen, fertig! Einfacher und billiger geht's nicht, oder?

Sprecher: Auch Dana Radic aus Österreich braucht kein eigenes Auto. Wir haben die selbstständige Unternehmerin in der Nähe des Hauptbahnhofs getroffen, wo sie gerade ein Carsharing-Auto eingeparkt hat. Frau Radic nutzt Carsharing hauptsächlich beruflich:

Dana Radic:
Ich bin sehr viel unterwegs, seitdem ich als Firmenberaterin arbeite, vor allem in Österreich und in Deutschland. Die Verkehrsmittel – Bahn, Taxi, Mietwagen oder Carsharing – wähle ich je nach Reiseziel. Sie werden lachen: Bei schönem Wetter und wenn mein Ziel nicht zu weit vom Bahnhof entfernt ist, nehme ich im Zug sogar mein Fahrrad mit. So ein Verkehrsmittel-Mix ist nicht teuer, praktisch, und auch noch gut für die Umwelt! Ich glaube, es dauert nicht mehr lange, bis die meisten Geschäftsleute so reisen wie ich.

Sprecher: Ob es wirklich so kommt, wissen wir noch nicht. Aber die Entwicklung in den letzten Jahren gibt Frau Radic recht: In mittleren und größeren Städten hat Carsharing heute schon einen festen Platz im Verkehrsmittel-Angebot.

Lektion 23

Der Beruf, der zu mir passt.

Aufgabe 1

Mark Brügge:
H-hmm – h-h-hmmmm ... H-hmmm – da da daaa ... hmm ... da da daaa ... jeder Moment ... hm-hm-hmmm ... ist eine Welt ... da-da-dam ...
Es ist nur dieser eine Augenblick, der zählt ...
Nur jetzt, ... hm-hm-hmmm ... nur hier ... da-da-dam ...
nur in diesem Augenblick bist du bei dir ... da daaa ... da da daa ...

Aufgabe 5 a und b

1

Auszubildende:
Ich bin gar nicht zufrieden mit meiner Ausbildung. Immer muss ich kopieren und Kaffee kochen. Das ist langweilig und das ärgert mich. Ich habe wirklich genug. Am liebsten würde ich eine neue Ausbildung anfangen.

2

Frau: Ich bin Architektin von Beruf. Damit bin ich super zufrieden. Meine Arbeit ist interessant und das Betriebsklima in unserer Firma ist prima. So macht Arbeiten Spaß.

3

Frau: Eigentlich bin ich Ingenieurin, aber zurzeit arbeite ich als Verkäuferin. Der Job ist nicht toll, aber okay. Ich kann hier Teilzeit arbeiten und mich um meine kleine Tochter kümmern.

Lektion 24

Wie sah dein Alltag aus?

Aufgabe 1

Mutter: Ich bin ganz schön aufgeregt.
Freundin: Ich auch. Sechs Monate ist echt eine lange Zeit.
Vater: Schnell, haltet die Schilder hoch!
Mutter: Was?
Vater: Schnell ... sie kommt!
Bruder: Ist sie das?
Schwester:
Ja, da ist sie!
Mutter: Patricia! Huhu!
Patricia: Hey, ihr seid ja verrückt!
Alle zusammen:
Willkommen zu Hause, Patricia!

Modul-Plus 8

Ausklang: Wir sind mit dabei!

(vgl. Kursbuch)

Modul-Plus 5

Clip 5:

Lena: Hallo, Melanie. Was für eine Überraschung! Komm rein.
Melanie: Du hast dein Tuch neulich liegen gelassen, als wir zusammen im Restaurant waren. Der Kellner hat es mir heute gegeben, als ich mit Max zum Mittagessen dort war.
Lena: Wenn ich dich nicht hätte ...
Melanie: Ach, gern geschehen. Sag mal, was riecht denn hier so gut?
Lena: Das sind Zwiebeln und Kartoffeln. Die braucht man unbedingt, wenn man echtes Labskaus kochen will.
Melanie: Labskaus? Was ist das?
Lena: Das ist ein norddeutsches Gericht. Seefahrer haben es nach Deutschland gebracht.
Melanie: Aha! Interessant. Und was ist da alles drin?
Lena: Viele gute Dinge. Lass dich überraschen. Mein Großvater hat es mindestens einmal im Monat für uns gekocht.
Melanie: Mein Großvater hat nie gekocht. Er ist spazieren gegangen, wenn meine Großmutter in der Küche gearbeitet hat.
Lena: Wenn mein Großvater gekocht hat, ist meine Großmutter auch immer aus dem Haus gegangen. Die Küche war nämlich immer ein einziges Chaos, wenn das Essen fertig war!
Melanie: Kann ich dir helfen?
Lena: Wenn du die Kartoffeln abgießt, kann ich hier weitermachen.
Melanie: Autsch!
Lena: Was ist passiert?
Melanie: Ich habe mir die Finger verbrannt!
Lena: Nimm doch Eis und kühl deine Finger damit.
Melanie: Wo hast du Eis?
Lena: Hier im Gefrierschrank.
Melanie: Ah – das tut gut.
Lena: Besser?
Melanie: Fleisch, Rote Bete. Heringe. Passt das denn überhaupt zusammen?
Lena: Dasselbe hat Christian mich auch gefragt, als ich zum ersten Mal Labskaus gekocht habe. So. Wenn ich jetzt noch die Rote Bete dazugebe, dann bekommt das Gericht die typische Farbe.
Melanie: Rote Bete habe ich zum letzten Mal gegessen, als ich noch ein Kind war!
Lena: Die schmeckt besonders lecker, wenn man sie ganz fein schneidet. Schneide doch schon mal die Essiggurken klein.
Melanie: Das wird ja immer verrückter. Essiggurken?
Lena: Wenn ich die Essiggurken weglasse, fehlt dem Gericht der besondere Kick!
Melanie: Ich weiß nicht, ob das schmeckt. Wenn ich sehe, was da alles drin ist.
Lena: Es ist mein Lieblingsessen und schmeckt viel besser, als du denkst. Probier mal. Wenn ich noch Salz dazugebe, wird es dann zu salzig?
Melanie: Hhm, ganz lecker. Köstlich. Ich hätte nicht gedacht, dass das schmeckt. Ich bin wirklich überrascht!
Lena: Damit hast du wohl nicht gerechnet, als du bei mir geklingelt hast!
Melanie: Wirklich nicht. Und ich esse sogar noch einen Rollmops dazu.
Lena: Oh ja – natürlich!
Melanie: Ah, ich habe etwas vergessen!
Lena: Okay.
Melanie: Das sind echte Münchner Weißwürste – eine bayerische Spezialität. Wenn du sie ins heißes Wasser gibst, schmecken sie wunderbar zum Frühstück.
Lena: Zum Frühstück? Na, ich weiß nicht. Uups. Das klappt nicht.
Melanie: Nein, nein, doch nicht so. Bei uns in Bayern isst man die Weißwurst mit der Hand.
Lena: Da muss ich aber noch viel üben!

Melanie: Aber das Wichtigste ist, dass es schmeckt!
Lena: Es schmeckt ganz gut. Aber nicht zum Frühstück!

Modul-Plus 6

Clip 6:

Lena: Guck mal, Melanie.
Melanie: Wo?
Lena: Hier sind hübsche Schuhe.
Melanie: Welche meinst du? Die neben den Stiefeln?
Lena: Ja. Genau. Wie findest du sie?
Melanie: Sehr schön. Das Kleid finde ich aber auch sehr gut.
Lena: Das würde bestimmt gut an dir aussehen.
Melanie: Hm, Max und ich haben nächste Woche Hochzeitstag und ich könnte ein neues Kleid brauchen.
Lena: Wie lange seid ihr denn schon verheiratet?
Melanie: Seit einem Jahr.
Lena: Na dann, worauf wartest du?
Melanie: Ach, ich weiß nicht.
Lena: Wir gehen jetzt in das Geschäft und kaufen dir ein schönes neues Kleid für deinen ersten Hochzeitstag.
Melanie: Aber nur, wenn du mitkommst und mir hilfst!
Lena: Na klar! Das wird ein Spaß! Wie findest du das hier vorne?
Melanie: Das? Niemals!
Lena: Aber das ist doch schick.
Melanie: Und das am Spiegel?
Lena: Das ist nicht dein Ernst! Das Kleid an der Puppe sieht gut aus.
Melanie: Ach, ich weiß nicht.
Lena: Aber das hier ist wirklich hübsch.
Melanie: Das finde ich auch.
Lena: Probiere es doch an.
Melanie: Wo ist die Umkleide?
Lena: Guck mal, da.
Melanie: Bis gleich.
Lena: Toll. Das Kleid steht dir sehr gut.
Melanie: Soll ich es noch in einer anderen Farbe anprobieren?
Lena: Nein, nein. Die Farbe passt sehr gut zu dir. Was habt ihr an eurem Hochzeitstag geplant?
Melanie: Das wissen wir noch nicht. Ich möchte ein Wochenende wegfahren. Hast du eine Idee? Vielleicht kann ich Max damit überraschen.
Lena: Hhm …
Melanie: Kennst du eine nette kleine Pension in der Schweiz oder in Österreich? Vielleicht auch an einem See oder im Gebirge. Sie soll auf jeden Fall nicht zu weit weg sein.
Lena: Willst du mit dem Auto dorthin fahren?
Melanie: Wir können nur ein Wochenende wegfahren und mit dem Auto ist es praktischer.
Lena: Ich kenne eine romantische Pension in den österreichischen Bergen. Soll ich fragen, ob sie ein Zimmer frei haben? Ich kenne den Besitzer gut. Er hat früher mal in Hamburg in einem Restaurant gearbeitet.
Melanie: Ja, frag ihn doch, ob in seinem Hotel noch ein Zimmer frei ist.
Lena: Warte, ich rufe gleich dort an … Hallo, Herr Obermaier, hier ist Lena. Wie geht es Ihnen? … Danke, gut. Ich wollte Sie fragen, ob Sie ein Zimmer frei haben. Nein, nicht für uns … leider. Aber unsere Freunde möchten ihren ersten Hochzeitstag bei Ihnen feiern!
Wann?
Melanie: Am nächsten Wochenende. Von Freitag bis Sonntag.
Lena: Ja, ja. Ein Doppelzimmer mit Frühstück. Haben Sie noch ein Zimmer mit Balkon und Blick auf die Berge? Ja? Das große Zimmer ist frei! Super! Können Sie es reservieren? Prima.

Gut, alles klar ... Unsere Freunde melden sich noch mal bei Ihnen. Dankeschön.

Melanie: Und? Hat es geklappt?

Lena: Wenn du willst, kannst du deinen Mann nächste Woche mit einer schönen Wochenendreise in die Berge und in einem wunderschönen Kleid überraschen.

Melanie: Schön! Dann brauchen wir jetzt nur noch ein Kleid für dich!

Modul-Plus 7

Clip 7:

Max: Grüß dich, Christian!

Christian: Ja, hallo, Max! Was für eine nette Überraschung!

Max: Das Wetter ist so schön und da wollte ich dich besuchen.

Christian: Ich dachte, du arbeitest heute?

Max: Ich habe mir heute Nachmittag freigenommen.

Christian: Das ist aber nett, dass du vorbeischaust.

Max: Ist das dein Auto?

Christian: Ja, ein italienischer Oldtimer. Interessierst du dich für alte Autos?

Max: Du solltest mich besser fragen, ob ich mich für schnelle Autos interessiere.

Christian: Dieses ist ein altes UND ein schnelles Auto!

Max: Aha! Du bist der Experte und solltest es ja wissen! Wo hast du das denn gelernt?

Christian: Ich habe das nicht gelernt. Ich bin eigentlich Versicherungsberater. Autos reparieren ist mein Hobby und mache ich in meiner Freizeit.

Max: Ich hab' mal eine Lehre als Bankkaufmann gemacht. Da bin ich 18 Jahre alt gewesen. Aber es hat mir keinen Spaß gemacht.

Christian: Und was ist dann passiert?

Max: Stell dir vor, ich habe die Lehre abgebrochen. Meine Eltern haben das gar nicht gut gefunden.

Christian: Das glaube ich. Und dann?

Max: Ich habe eine Ausbildung als Schreiner gemacht. Ich arbeite lieber mit meinen Händen als mit Zahlen.

Christian: Hast du eine eigene Werkstatt?

Max: Oh ja. Und das Beste ist: Mein Meisterstück, das ist ein großer Kleiderschrank gewesen. Und den habe ich dann meinen Eltern geschenkt und so waren sie am Ende doch noch wieder stolz auf ihren Sohn!

Christian: Wirklich? Das ist ja toll!

Max: Ja also, wenn du mal einen Tisch oder Stuhl brauchst, ruf mich an!

Christian: Danke, mache ich! Und wenn du mal eine neue Versicherung brauchen solltest, dann sag mir Bescheid.

Max: Ähm. Das wäre gut. Vielleicht kannst du mich wirklich bei einer Versicherung beraten.

Christian: Hey, also das sollte dir wirklich nicht unangenehm sein. Wofür hat man denn Freunde? Natürlich helfe ich dir gern! Komm doch nachher gleich mit zu mir und wir sprechen alles durch.

Max: Danke.

Christian: Könntest du einmal den Motor starten?

Max: Klar!

Christian: Noch mal.

Max: Okay. Wo hast du das Auto her?

Christian: Das habe ich von meinem Großvater. Ja!

Max: Wow! Du, Christian, ich wollte dich eigentlich mal was fragen.

Christian: Schieß los.

Max: Melanie und ich haben nächste Woche Hochzeitstag und ich möchte sie überraschen. Hast du irgendeine Idee?

Christian: Hhm ... Wir sind mal mit dem Oldtimer in die Berge gefahren. Eine wunderschöne Fahrt über die Landstraße.
Max: Wo seid ihr denn hingefahren?
Christian: Nach Österreich. Und wir sind zufällig in einer Pension gelandet und da hat uns der Besitzer gesagt, dass er aus Hamburg kommt. Wie wir! Da haben wir uns natürlich gleich für ein paar Tage einquartiert. Ich sage dir: Wir haben ein wunderschönes großes Zimmer gehabt. Das Essen ist super und die Aussicht auf die Berge sensationell!
Max: Das klingt wunderbar.
Christian: Ja. Genau das Richtige für euren Hochzeitstag! Ich sollte gleich mal da anrufen und fragen, ob sie das große Zimmer noch frei haben. Moment.
Max: Melanie und ich wollten sowieso im Sommer wegfahren.
Christian: Ja, hallo, hier Christian Neugebauer. Haben Sie für das nächste Wochenende das große Zimmer noch frei? Nein? Schade. Ist vor einer halben Stunde gebucht worden.
Max: Naja. Sollte wohl nicht sein.
Christian: Kopf hoch. Du bekommst mein Auto und ihr macht einen Ausflug. Das wird deine Frau bestimmt freuen!
Max: Mmh. Ich weiß nicht ...
Christian: Ja – hallo – ich bin noch dran ... ah, ein Doppelzimmer wäre noch frei ...

Modul-Plus 8

Clip 8:

Lena: Was ist nur mit der EC-Karte los? Die Karte, die ich heute bekommen habe, funktioniert nicht.
Melanie: Ach nee.
Lena: Mist! Ich habe letzte Woche ein Konto eröffnet und jetzt kann ich kein Geld abheben.
Melanie: Mein Bargeld reicht für uns zwei. Soll ich dir etwas leihen?
Lena: Hätte ich die Karte doch in der Bank zusammen mit dem Kundenberater ausprobiert. Der hätte die Karte dann gleich überprüfen können.
Melanie: Diese Bank hat eigentlich einen guten Service.
Lena: Der Mann, der mich beraten hat, war sehr nett. Aber den kann ich ja jetzt nicht mehr fragen, weil die Bank schon geschlossen hat.
Melanie: Ich mache dir einen Vorschlag: Du steckst deine Karte wieder ein. Die kannst du auch morgen in der Bank überprüfen lassen, wenn sie wieder geöffnet hat. Stattdessen fahren wir jetzt nach Hause und trinken einen schönen Kaffee. Den haben wir uns verdient. Was meinst du?
Lena: Also gut. Aber dann fahren wir zu mir. Christian müsste schon zu Hause sein. Wenn ich noch mit zu dir komme, wundert der sich sonst, wo ich so lange bleibe.
Melanie: Gute Idee. Wenn wir uns beeilen, schaffen wir noch die S-Bahn um halb sechs.
Lena: Dann sollten wir uns beeilen. ... Hallo, ihr zwei!
Melanie: Was macht ihr denn da?
Max: Wir brauchen doch unbedingt eine neue Rechtsschutzversicherung. Ich habe mir ein paar Angebote schicken lassen. Die hat mir Christian jetzt erklärt.
Christian: Wo wart ihr?
Lena: Wir waren in der Stadt und konnten ein paar wichtige Dinge erledigen.
Christian: Ja. Wir waren auch erfolgreich. Zumindest teilweise.
Max: Ja. Stimmt. Ich kann mich jetzt endlich für eine Versicherungspolice entscheiden. Mit Christians Beratung habe ich die mit den besten Konditionen gefunden.

Lena: Na, dann warst du ja erfolgreicher als ich. Meine neue EC-Karte funktioniert nicht. Die habe ich erst seit heute.
Christian: Also konntest du kein Geld abheben?
Lena: Nein. Leider nicht. Das musst du später mit deiner Karte abheben.
Melanie: Und was habt ihr in der Werkstatt gemacht?
Max: Christian hat einen echten Oldtimer. Kaum zu glauben, wie schnell der fährt.
Christian: Dieses Auto ist ein Traum! Perfekt für ein romantisches Wochenende.
Lena: Wenn du schon von Romantik sprichst, haben wir auch eine kleine Überraschung!
Christian: Für wen?
Melanie: Max, wir haben doch nächstes Wochenende Hochzeitstag. Und damit wir den auch richtig feiern können, hatte Lena eine tolle Idee. Max, was hältst du davon, wenn wir nächstes Wochenende wegfahren?
Max: Ähm. Wohin?
Lena: Nach Österreich. Ich kenne da eine nette Pension in den Bergen. Es ist nicht weit von hier.
Melanie: Ja. Da habe ich ein großes Zimmer für uns gebucht.
Lena: Eine Überraschung.
Melanie: Freust du dich?
Max: Tolle Idee.
Christian: Max hat an dem Wochenende auch ein Zimmer gebucht. Eine nette Pension in den österreichischen Bergen.
Lena: Meinst du die Pension von den Obermaiers?
Christian: Es sollte eine Überraschung für Melanie sein.
Lena: Wie? Dann habt ihr dort also auch ein Zimmer gebucht?
Max: Ich wollte mit dir in Christians Oldtimer dorthin fahren.
Melanie: Das heißt, wir haben für uns zwei Zimmer in einem Hotel gebucht?!
Christian: Richtig.
Lena: Melanie wollte Max und Max wollte Melanie überraschen!
Melanie: Jetzt haben wir zwei Zimmer.
Max: Stimmt. Aber in deinen Oldtimer passen doch vier Personen.
Christian: Ja.
Melanie: Was macht ihr nächstes Wochenende?
Lena: Wir haben nichts geplant.
Max: Dann würde ich vorschlagen, wir fahren alle vier gemeinsam nach Österreich.
Christian: Mit meinem Oldtimer …
Lena: … in eine nette Pension, die wir kennen.
Melanie: Ich packe ein schickes Kleid ein.
Max: Und wir machen uns zwei tolle Tage!

Test Modul 5 *(Lektion 13–15)*

1 **b** korrigieren; **c** bewegen; **d** zeichnen; **e** übersetzen; **f** lösen; **g** bewegen

2 **b** Päckchen; **c** unterschreiben, Unterschrift; **d** Paket, Absender; Empfänger; **e** Schalter; **f** einpacken

3 der Rundfunk; die Folge; die Serie; der Privatsender; das Programm; der Spielfilm; der Zuschauer

4 **b** Birgit ist ins Ausland gegangen, als sie mit der Schule fertig war. **c** Als Esther Giovanni zum ersten Mal gesehen hat, hat sie sich sofort verliebt. **d** Ich habe ein Stipendium bekommen, als ich im ersten Semester war. **e** Ich habe mein Auto verkauft, als ich in die Stadt gezogen bin. **f** Max ist zum ersten Mal ohne seine Eltern verreist, als er 16 Jahre alt war. **g** Als Florian einen neuen Job gefunden hat, hat er eine große Wohnung gemietet. **h** Wir waren fünf Jahre verheiratet, als wir ein Kind bekommen haben.

5 **b** Reservierungen werden gemacht. **c** Zeitungen werden gelesen. **d** Kaffee und Kuchen wird/werden gebracht. **e** Rechnungen werden bezahlt. **f** Tische werden saubergemacht. **g** Das Café wird am Abend geputzt.

6 **b** kauft seiner Freundin einen Ring. **c** bestellt den Kindern eine Cola. **d** empfiehlt den Lesern das neue Buch von Donna Leon.

7 **b** ihn ihr; **c** sie euch; **d** es Ihnen

8 helfen mir gar nicht; Am allerwichtigsten; Ich finde es wichtig; finde ich nicht so wichtig; gibt es nur einen Weg

9 sehr gefreut; Vielen Dank für; mag ich besonders gern; eine tolle Idee; Ich bin sehr froh; Ich freue mich schon

10 Woche; Gewohnheit; treffe; gucken; trinken; Folge; Fernseher; keine Zeit; Mediathek

11 **b** Janina; **c** Markus; **d** Markus; **e** Janina; **f** Edith

12 freie Lösung

Test Modul 6 *(Lektion 16–18)*

1 **b** Sauna; **c** Konferenzraum; **d** Doppelzimmer; **e** Parkplatz; **f** Bar; **g** Vollpension; **h** Rezeption; Aufenthalt

2 **b** Reifen wechseln; **c** Panne; **d** Motor; **e** Fähre; **f** Autobahn; **g** Abfahrt

3 **b** das Eis; **c** die Temperatur; **d** feucht; **e** die Hitze; **f** die Kälte

4 **b** warum mein Laptop nicht funktioniert. **c** wie man den Fernseher anmacht. **d** ob es hier in der Nähe eine nette Bar gibt. **e** wann morgen die Stadtführung beginnt.

5 in der; im; in; an den; nach; in; in die; auf den; in die; auf dem; am

6 **b** über ihre; über meine; **c** mit deinem; von einem

7 **b** Worauf; **c** Über wen; **d** Für wen; Von ihm; **e** Wovon

8 Haben Sie ein Zimmer frei; Darf ich fragen; Möchten Sie es buchen; Schlüssel; Aufenthalt

9 **2** A; **3** F; **4** D; **5** B; **6** E

10 regnet; typisch; normalerweise; sonst viel wärmer; nicht niedriger; wieder wärmer

11 **b** richtig; **c** falsch; **d** falsch; **e** falsch; **f** richtig; **g** richtig; **h** richtig

12 Lösungsbeispiel: Haben Sie ein Doppelzimmer und fünf Einzelzimmer? Wir brauchen sie ab dem 17.9. für zwei Nächte. Wir möchten gern Halbpension buchen. Ist das möglich? Außerdem brauchen wir einen Konferenzraum mit Internetzugang. Bitte informieren Sie uns, ob die Zimmer und der Konferenzraum frei sind.

LÖSUNGEN TESTS ZU DEN MODULEN

Test Modul 7 *(Lektion 19–21)*

1 **a** verlängert; **b** Publikum; **c** kostenlos; **d** weggehen; Club; beliebt; **e** Vorstellung; Beginn

2 **b** Comics; **c** Liebesgedichten, Romane, Krimis; **d** Sachbücher, Ratgeber; **e** Zeitung, Märchen; **f** Kinderbücher

3 **b** brennt; **c** EC-Karte, Bargeld; **d** Ausweis, Führerschein; **e** anfassen, Polizei; **f** gestohlen, abgesperrt, Versicherung

4 **a** beim, zum/ins; **b** vom, ins; **c** bei, zum; **d** zur, beim; **e** Im, ins; **f** von/aus, zu

5 **a** musste; **b** durfte, musste, wollte; **c** sollten, wollten

6 **b** lässt ... waschen; **c** lassen ... bringen; **d** lässt ... schneiden; **e** lassen ... backen

7 Welches; diesen; Welche

8 Warum nicht; habe da einen Vorschlag; nicht total langweilig; nicht so negativ; doch mal etwas anderes; ist wahr; wirklich mal etwas Neues; uns dahin gehen

9 **b** interessiert – überhaupt nicht; **c** Ja – wie; **d** Nicht so; **e** finde – ehrlich – langweilig; **f** Doch – sehr

10 Wo waren Sie; näher beschreiben; Was ist dann passiert; Wie hat es ausgesehen; An mehr kann ich mich nicht erinnern

11 **b** richtig; **c** richtig; **d** falsch; **e** richtig, **f** richtig

12 Lösungsbeispiel: Dort habe ich eine alte Dame gesehen. Plötzlich ist ein junger Mann gekommen, hat der alten Dame die Handtasche weggenommen und ist weggelaufen. Ich bin ihm nachgelaufen. Und weißt Du, was dann passiert ist? Der Mann hat die Tasche weggeworfen. Ich habe der alten Dame die Tasche zurückgebracht. Zum Glück waren Geld und Ausweis noch da. Wir sind zusammen zur Polizei gegangen und haben den Täter beschrieben. Hoffentlich findet die Polizei den Mann!

Test Modul 8 *(Lektion 22–24)*

1 **a** Passwort, klicke, Mitglied; **b** zurückfahren, Ziel, Verbindungen, Fahrkarte, Umwelt

2 **b** Student; **c** Lehre; **d** Praktikant

3 **b** Konsulat, Visum, beantragen; **c** Zoll, Grenze, kontrollieren; **d** Reisender, Anschluss, verpassen

4 **b** seit ich weiß, bis wir umziehen; **c** Seit ich die Jahreskarte habe; **d** bis der Film beginnt, Bis wir zur Bushaltestelle laufen; **e** Seit ich direkt neben der Uni wohne

5 **b** der; **c** die; **d** das; **e** die; **f** das; **g** der; **h** die; **i** die; **j** die

6 lebte; gab; hatte; sah; machte; fand; konnte; sagte; sollte

7 Kein Problem; Zuerst musst du; Du gibst deinen; Du bekommst den; Zuletzt rufst du; Das ist ja ganz

8 **a** finde – prima, total langweilig; **b** gern als; **c** überhaupt nicht, stört, Immer muss, keine Lust, Deshalb suche

9 sofort wieder machen; hatte eine tolle Zeit; super gefallen; würde ich jedem empfehlen; viele nette Leute; es oft traurig

10 **b** Nadi; **c** SuSuSa_96; **d** Nadi; **e** petrowitsch; **f** PitzPalü; **g** Lilola_85; **h** Lilola_85

11 freie Lösung

Quellenverzeichnis

Cover: © Getty Images/Jacqueline Veissid
Seite 93: Würfel © iStockphoto/arakonyunus
Seite 95: Buchs, Eichhörnchen © Thinkstock/iStock; Schmetterlinge © iStockphoto/Jordan McCullough
Seite 96: Kinderfotos © Geschenke der Hoffnung e.V.
Seite 98: © Hueber Verlag
Seite 105: Autofähre, Kreuzfahrtschiff, Pferd © Thinkstock/iStockphoto; PKW © PantherMedia/Jacek Tarczyński; Motorrad © PantherMedia/Bogdan Ionescu; Bus © iStockphoto/SteveMcsweeny; Flugzeug © fotolia/Ilja Mašík; Fahrrad © iStock/kevinttawom; Wanderschuhe, Wohnmobil © Thinkstock/iStock
Seite 106: Abfahrt © fotolia/lightpoet; Ankunft © Thinkstock/Ryan McVay; Reifenpanne © Thinkstock/Stockbyte; Tankstelle © Thinkstock/iStockphoto; Werkstatt © Thinkstock/Getty Images/Jupiterimages; Reifen wechseln © fotolia/Kinosnal; Autobahn © Thinkstock/Comstock; Hotelzimmer © PantherMedia/Peter Jobst; Postkarte © Hueber Verlag/Kiermeir; Rucksack © Thinkstock/Digital Vision/Mike Powell; Koffer © fotolia/Carmen Steiner; Bahnhof © iStockphoto/gmutlu
Seite 107: Meer © fotolia/Michael Neuhauß; Küste, Bauernhof © Thinkstock/iStock; See © Thinkstock/Stockbyte; Strand © fotolia/Johannes Schäfer; Insel © fotolia/Bernd_Leitner; Wüste © fotolia/barantza; Berge © PantherMedia/Wolfgang Dufner; Wald © PantherMedia/Ilona Grimm; Stadt © iStockphoto/vincevoigt; Schweiz © fotolia/VRD; Österreich © fotolia/Andreas Safreider
Seite 118: Karten © fotolia/lowtech24
Seite 119: 1. Reihe von links nach rechts: © Thinkstock/FogStock; © Thinkstock/Photodisc; © Thinkstock/iStock; 2. Reihe von links nach rechts: © fotolia/Eugenio Marongiu; 2 x © Thinkstock/iStock; 3. Reihe von links nach rechts: © Thinkstock/iStock; © Thinkstock/Goodshoot; © Thinkstock/Creatas
Seite 121: © Thinkstock/moodboard
Seite 122: © fotolia/Robert Kneschke
Seite 133: © Thinkstock/Photodisc/Thomas Northcut
Seite 134: trocken © PantherMedia/sahua; Eis © Thinkstock/Getty Images/Dynamic Graphics; Temperatur © iStockphoto/Mervana; feucht, Hitze, Kälte © fotolia/Bastetamon
Seite 136: Thermometer © iStockphoto/Mervana
Seite 141: © Hueber Verlag

Alle übrigen Fotos: © Hueber Verlag/Florian Bachmeier